UNIVERSALE
ECONOMICA
FELTRINELLI

Opere di Alessandro Baricco:

Il genio in fuga. Sul teatro musicale di Rossini (Il Melangolo, 1988)
Castelli di rabbia (Rizzoli 1991; Feltrinelli 2007)
L'anima di Hegel e le mucche del Wisconsin (Garzanti, 1992; Feltrinelli 2009)
Oceano mare (Rizzoli, 1993; Feltrinelli, 2007)
Novecento (Feltrinelli, 1994)
Barnum. Cronache dal Grande Show (Feltrinelli, 1995)
Seta (Rizzoli, 1996; Feltrinelli, 2008)
Barnum 2. Altre cronache dal Grande Show (Feltrinelli, 1998)
City (Rizzoli, 1999; Feltrinelli, 2007)
Senza sangue (Rizzoli, 2002; Feltrinelli, 2009)
Next. Piccolo libro sulla globalizzazione e sul mondo che verrà (Feltrinelli, 2002)
Omero, Iliade (Feltrinelli, 2004)
Questa storia (Fandango 2005; Feltrinelli, 2007)
I barbari. Saggio sulla mutazione (Fandango, 2006; Feltrinelli, 2008)
Herman Melville. Tre scene da Moby Dick (Fandango, 2009)
Emmaus (Feltrinelli, 2009)
Mr Gwyn (Feltrinelli, 2011)
Tre volte all'alba (Feltrinelli, 2012)
Una certa idea di mondo (Gruppo Editoriale L'Espresso, 2012; Feltrinelli, 2013)
Palladium Lectures (2 dvd + libro; Feltrinelli, 2013)

ALESSANDRO
BARICCO
Tre volte all'alba

© Giangiacomo Feltrinelli Editore Milano
Prima edizione ne "I Narratori" marzo 2012
Prima edizione nell'"Universale Economica" gennaio 2014

Stampa Grafiche Busti - VR

ISBN 978-88-07-88344-6

www.feltrinellieditore.it
Libri in uscita, interviste, reading,
commenti e percorsi di lettura.
Aggiornamenti quotidiani

razzismobruttastoria.net

Nota

Nell'ultimo romanzo che ho scritto, *Mr Gwyn*, si accenna, a un certo punto, a un piccolo libro scritto da un angloindiano, Akash Narayan, e intitolato *Tre volte all'alba*. Si tratta naturalmente di un libro immaginario, ma nelle immaginarie vicende là raccontate esso riveste un ruolo tutt'altro che secondario.

Il fatto è che mentre scrivevo quelle pagine mi è venuta voglia di scrivere anche quel piccolo libro, un po' per dare un lieve e lontano *sequel* a *Mr Gwyn* e un po' per il piacere puro di inseguire una certa idea che avevo in testa. Così, finito *Mr Gwyn*, mi son messo a scrivere *Tre volte all'alba*, cosa che ho fatto con grande diletto.

Adesso *Tre volte all'alba* è nelle librerie e forse non è inutile chiarire che può essere letto da chiunque, anche da coloro che non hanno mai preso in mano *Mr Gwyn*, perché si tratta di una storia autonoma e compiuta. Ciò non toglie tuttavia che, nella sua prima parte, mantenga ciò che *Mr Gwyn* prometteva, cioè uno sguardo in più sulla curiosa vicenda di Jasper Gwyn e del suo singolare talento.

gennaio 2012   *Alessandro Baricco*

Tre volte all'alba

A Caterina de' Medici e al maestro di Camden Town.

Queste pagine raccontano una storia verosimile che, tuttavia, non potrebbe mai accadere nella realtà. Raccontano infatti di due personaggi che si incontrano per tre volte, ma ogni volta è l'unica, e la prima, e l'ultima. Lo possono fare perché abitano un Tempo anomalo che inutilmente si cercherebbe nell'esperienza quotidiana. Lo allestiscono le narrazioni, di tanto in tanto, e questo è uno dei loro privilegi.

Uno

C'era quell'albergo, di un'eleganza un po' appannata. Probabilmente era stato in grado, in passato, di mantenere certe promesse di lusso e garbo. Aveva ad esempio una bella porta girevole in legno, un particolare che sempre inclina alle fantasticherie.

Fu da lì che una donna entrò, a quell'ora strana della notte, apparentemente pensando ad altro, appena scesa da un taxi. Indossava solo un abito da sera giallo, piuttosto scollato, e neppure una sciarpa leggera sulle spalle: la cosa le dava l'aria intrigante di coloro a cui è successo qualcosa. Aveva una sua eleganza nel muoversi, ma anche sembrava un'attrice appena rientrata dietro le quinte, sollevata dall'obbligo di recitare e tornata in un qualche se stessa, più sincero. Così aveva un modo di mettere i passi, di poco più stanco, e di reggere la minuscola borsetta, quasi un lasciarla. Non era più tanto giovane, ma questo le donava, come succede talvolta alle donne che non hanno mai avuto dubbi sulla propria bellezza.

Fuori era il buio prima dell'alba, né notte né mattino. La hall dell'albergo dimorava immobile, elegante nei dettagli, pulita, morbida: calda nei colori, silenziosa, ben disposta nello spazio, illuminata di riflesso, le pareti alte, il soffitto chiaro, libri sui tavoli, cuscini gonfi sui divani, quadri incorniciati con devozione, un pianoforte nell'angolo, poche scritte necessarie, il font mai lasciato al caso, una pendola, un barometro, un busto in marmo, tende alle finestre, tappeti al pavimento – l'ombra di un profumo.

Poiché il portiere di notte, posata la giacca sullo schienale di una sedia povera, stava dormendo in una vicina stanzetta il sonno leggerissimo di cui era maestro, non ci sarebbe stato nessuno a veder la donna che entrava nell'albergo se non fosse che un uomo seduto in una poltrona, in un angolo della hall – irragionevole, a quell'ora della notte – la vide, e allora accavallò la gamba sinistra sulla destra, quando prima era la destra che poggiava sulla sinistra – senza ragione. Si videro.

Aveva l'aria di piovere, ma poi non l'ha fatto, disse la donna.

Sì, non si decide, disse l'uomo.

Aspetta qualcuno?

Io? No.

Che stanchezza. Le spiace se mi siedo un attimo?

Prego.

Niente da bere, vedo.

Non credo che diano la colazione prima delle sette.

Alcol, dicevo.

Ah, quello. Non so. Non credo, a quest'ora.

Che ora è?

Quattro e dodici.

Sul serio?

Sì.

Non passa più 'sta notte. Mi sembra iniziata tre anni fa. Lei che ci fa qui?

Stavo per andarmene. Devo andare a lavorare.

A quest'ora?

Già.

Come fa?

Niente, mi piace.

Le piace.

Sì.

Incredibile.

Trova?

Lei ha l'aria di essere la prima persona interessante che incontro stasera. Stanotte. Insomma quello che è.

Non oso pensare agli altri.

Tremendi.

Era a una festa?

Non sono sicura di sentirmi molto bene.

Chiamo il portiere.

No, per carità.

Forse farebbe meglio a stendersi.

Mi tolgo le scarpe, le spiace?

Ma si immagini...

Mi dica qualcosa, qualsiasi cosa. Se mi distraggo, passa.

Non saprei cosa...

Mi parli del suo lavoro.

Non è molto avvincente come argomento...

Provi.

Vendo bilance.

Continui.

Si pesano un sacco di cose, ed è importante pesarle con esattezza, così io ho una fabbrica che produce bilance, di qualsiasi tipo. Ho undici brevetti, e... Vado a chiamare il portiere.

No, la prego, quello mi odia.

Resti giù.

Se resto giù vomito.

Si tiri su, allora. Cioè, voglio dire...

Si fanno soldi a vendere bilance?

Secondo me lei dovrebbe...

Si fanno soldi a vendere bilance?

Non molti.

Vada avanti, non pensi a me.

Io veramente dovrei proprio andare.

Mi faccia questa cortesia, continui a parlare per un po'. Poi se ne va.

Si guadagnava abbastanza, fino a qualche anno fa. Adesso non so, devo avere sbagliato da qualche parte, ma non riesco più a vendere niente. Ho pensato che fossero i miei venditori, così mi son messo a girare io, a vendere, ma in effetti i miei prodotti non vanno più, forse sono invecchiati, non so, forse costano troppo, in genere costano molto cari, perché è tutta roba fatta a mano, lei non ha idea di cosa voglia dire ottenere l'esattezza assoluta, quando si tratta di pesare qualcosa.

Pesare cosa? Mele, persone, cosa?

Tutto. Dalle bilance per orafi a quelle per i container, facciamo di tutto.

Sul serio?

È per questo che devo andare, oggi ho da chiudere un contratto importante, non posso davvero arrivare in ritardo, ne va della mia azienda, se non mi va dritta questa... Porca vacca!

Merda.

La accompagno in bagno.

Aspetti, aspetti.

Eh no!...

Merda.

Vado a prendere un po' d'acqua.

Mi scusi, davvero, mi scusi.

Vado a prendere un po' d'acqua.

No, resti qui, per favore.

Tenga, si pulisca con questo.

Che vergogna.

Non si preoccupi, ho dei bambini.

Cosa c'entra?

I bambini vomitano spesso. I miei, almeno.

Ah, scusi.

Per cui non mi fa impressione. Però adesso sarebbe meglio salisse nella sua stanza.

Non posso lasciare qui questo casino...

Chiamo poi io il portiere, lei salga in camera. Ha una camera, vero?

Sì.

Allora vada. Ci penso io.

Non sono sicura di ricordarmi il numero.

Il portiere glielo dirà.

NON VOGLIO VEDERE IL PORTIERE, quello mi odia, gliel'ho detto. Lei non ce l'ha una stanza?

Io?

Sì.

L'ho appena lasciata.

Mi porti lì, la prego.

Le ho detto che l'ho appena lasciata.

Be', cos'è, l'ha bruciata?, sarà ancora lì, no?

Sì, ma...

Mi faccia ancora questo piacere, mi accompagni su, poi non la secco più.

Dovrei recuperare la chiave.

Le sembra una cosa così proibitiva?

No, certo.

La faccia, allora, la prego.

Se proprio... Voglio dire...

È davvero gentile.

D'accordo, va bene, venga.

Le mie scarpe.

Sì, le sue scarpe.

A che piano è?

Secondo. Prendiamo l'ascensore.

Mi secca lasciare tutto questo casino...

Non ci pensi.

Adesso va un po' meglio, sa?

Bene. Ma ha bisogno di riposarsi. Venga...

Non ho dimenticato niente?

Venga.

Che cavolo di profumo c'è in 'sto ascensore?

Mughetto e sandalo.

Come lo sa?

Sono il mio hobby. I profumi.

Davvero?

Sì.

Vende bilance e dopo cena gioca con i profumi?

Più o meno.

Li fa?

Ho provato. Non è facile. Studio quelli degli altri.

Dovrebbe farli.

Ecco, siamo arrivati.

Lei è un tipo strano.

Può darsi. Di qua.

L'ha presa la chiave, vero?

Sì.

Mi scusi. Penso sempre che tutti siano casinisti come me.

Non si preoccupi.

Ma se uno fa bilance è difficile che sia un casinista, vero?

Improbabile, diciamo.

Giusto.

Prego, entri.

Ehi, magnifica stanza!

Sono tutte uguali, a dire il vero.

Come fa a esserne sicuro?

Vengo in questo albergo da sedici anni. Il bagno è da quella parte. Le lascio la chiave qui, ci penso io a spiegare tutto al portiere. Adesso devo proprio andare.

Se ne va?

Sì, me ne vado. Lei non ha affatto una stanza qui, vero?

Prego?

È entrata e ha detto "Magnifica stanza", ma in realtà

se avesse una stanza qui saprebbe che è identica alla sua. Sono tutte uguali.

C'ha anche l'hobby dei polizieschi?

No. Sto attento ai dettagli. Faccio bilance. Lei è entrata in questo albergo ma non ha affatto una stanza in questo albergo.

Non se ne stava andando?

Sì, certo. Vorrei essere solo sicuro che...

Sono entrata perché mi piacciono le hall degli alberghi, di notte. E questa qui è bellissima, ha notato? Né troppo, né troppo poco. Ci son già venuta altre volte, è per questo che il portiere mi odia.

E se non incontrava me?

Devo proprio andare in bagno. Ce l'ha uno spazzolino e un dentifricio?

Adesso per me si è fatto veramente tardi...

Lo so, mi presti solo lo spazzolino, cosa le costa?

LO SPAZZOLINO?

Stia calmo, nessuno le ha mai chiesto uno spazzolino in prestito?

Nessuno che avesse appena vomitato!

Ah, quello.

Sì, quello.

Me lo dà o no?

Poi se lo tenga, anche il dentifricio. Ecco. Non metta troppo in disordine, la prego, se vuole si faccia una dormita e poi lasci tutto in ordine. Ci devo ritornare, io, in questo albergo. La saluto.

Carino, un dentifricio alla noce.

Non è alla noce.

C'è scritto Noce.

È il nome. Il gusto è scritto piccolo, in fondo.

Ma tu guarda. E lei cosa ci faceva là sotto?

Prego?

Cosa ci faceva là sotto, da solo, seduto su una poltrona alle quattro di notte? Se aveva tanta fretta, perché se ne stava lì?

Non avevo tanta fretta, *adesso* ho tanta fretta.

Va be', comunque era lì, a cosa stava pensando? Le spiace se mi lavo i denti mentre me lo racconta?

Io non credo che racconterò un bel niente.

Perché?

Io neanche la conosco.

Ah, quello.

Sì, quello.

Sembra che non ci sia entrato mai nessuno, in questo bagno. Cos'è, lei usa gli asciugamani e poi li ripiega tutti precisi precisi? In un albergo? Guardi che c'è gente pagata per farlo.

Io non...

Rifà anche il letto?

Immagino che siano fatti miei.

D'accordo, d'accordo. Buono 'sto dentifricio. Cos'è, gusto lampone?

Ribes, con una punta di anice.

Mmm... Buono.

Lo fanno anche senza l'anice, ma perde molto.

Imperdonabile.

Non li ho ripiegati, gli asciugamani. È che non li ho usati. Non ho fatto niente. Non riuscivo a dormire. Me ne sono stato tutta la notte seduto su quella sedia, con la luce bassa. Poi alle quattro sono sceso. Adesso devo proprio andare. Mi ha fatto piacere conoscerla. Liberi la stanza prima delle dieci, la prego. La saluto.

Cosa diavolo fa? Ehi! Torni qui! Dico a lei, le sembra il modo di comportarsi con...

Non gridi, sta svegliando tutti.

E allora lei torni qui!

Non facciamo queste scenate in corridoio, la prego.

Bene, andiamo a farla in ascensore.

È a piedi nudi, le esce schiuma di dentifricio dalla bocca e sotto c'è un portiere che non la vedrebbe volentieri in questo stato.

Se è per questo lei ha le scarpe piene di vomito.

No!

Venga, gli do una pulita io.

Oh no, no!

La smetta di gridare, sveglia tutti.

Ma guarda tu se...

Su, da bravo, chiudo io. Si tolga quelle scarpe. Non così!

Me le devo pur slacciare!

Faccio io, stia seduto lì. Tanto c'è stato tutta la notte, su 'sta sedia, minuto più minuto meno...

Molto spiritosa.

Mamma che schifo...

Lasci stare, la prego.

Nemmeno per sogno, io ho vomitato io pulisco. Ecco, fatto.

Dove le porta?

Una bella lavata...

NO, NON SOTTO L'ACQUA!

Perché?, vedrà che funziona.

ME LE DEVO METTERE, QUELLE SCARPE, vuole dirmi come diavolo...

Risponde lei?

Cosa?

Il telefono, squilla il telefono.

Chi diavolo...

Risponda.

Ma io non sono in questa stanza, cioè...

Devo rispondere io?

No!

Guardi come sono venute pulite. Adesso una bella asciugata col phon...

Pronto?... Sì, sono io... No, ho avuto un contrattempo, sono risalito un attimo in stanza... Ah, quello, sì... Mi sono sentito poco bene... No, va molto meglio, mi spiace per il tappeto... Se c'è qualcosa da pagare... No, insisto... Adesso scendo... No, davvero, non ho bisogno di niente... Scendo, adesso.... Sì, grazie, è molto gentile... Grazie.

Chi era?

Devo andarmene, subito.

Chi era?

Il portiere di notte. Dove sono le scarpe?

Lo odio quell'uomo.

Mi dia quelle scarpe.

Nemmeno per sogno. Si sieda lì un attimo e gliele asciugo.

DEVO ANDARMENE. ADESSO!

Che modi!, se le prenda se le vuole tanto.

Ho detto al portiere che sono stato io, sotto, a... Lei mi faccia solo la cortesia di andarsene senza farsi vedere. Cavolo, sono marce...

Perché non lascia perdere?

Sì, esco a piedi nudi, bella idea.

Dico, perché non lascia perdere tutto, il contratto, le bilance, tutto.

Ma che diavolo dice?

Quanti anni ha?

Io?

Lei, sì.

Quarantadue.

Lo vede, è abbastanza giovane da lasciar perdere tutto.

Ma cosa dice?

Non mi dirà che non ci ha mai pensato. Lasciare perdere e ricominciare tutto da capo. Non sarebbe male, no?

Lei è pazza.

Ma la donna disse che gran parte della gente sogna di ricominciare da capo, e aggiunse che in questo c'era qualcosa di commovente, non di *pazzo*. Disse che in realtà quasi nessuno, poi, ricomincia da capo davvero, ma non si ha idea di quanto tempo la gente passi a fantasticare di farlo, e spesso proprio mentre è nel bel mezzo dei suoi guai, e della vita che vorrebbe lasciar perdere. Lei una volta aveva avuto un bambino e si ricordava distintamente come la prendesse l'angoscia, ogni tanto, a stare da sola con lui, piccolo, e allora l'unica cosa che funzionava era pensare seriamente di lasciar perdere, e di ricominciare da capo. Si studiava di dove lasciarlo, il bambino, e sapeva già come si sarebbe fatta i capelli e dove sarebbe andata a cercare lavoro, per ricominciare. Una cosa che la faceva stare immediatamente meglio era pensare alle serate che allora avrebbe passato, e alle notti. Avrebbe passato intere serate a mangiare sul divano e altre sarebbe uscita e sarebbe andata a letto con un uomo, lo avrebbe fatto con grande sicurezza, alzandosi poi dal letto e prendendo le sue cose, incapace di rimorsi. Disse che per il solo fatto di pensare a tutto questo le si scioglieva qualcosa dentro e le prendeva una serenità, come se davvero avesse risolto qualcosa. Diventava allora molto dolce col bambino, e improvvisamente luminosa, e madre. Il bambino se ne accorgeva, lo sentiva, come un animaletto, e tra le sue braccia era subito più lento, nei movimenti, e curioso, nello sguardo. Tutto sembrava andare molto meglio, d'incanto. Aggiunse che aveva diciassette anni, a quei tempi. Mentre raccontava tutto questo, la donna si era sfilata il vestito da sera, prima tirando giù la zip sulla schiena e poi lasciandolo cadere dopo averlo scostato di un nulla sulle spalle. Poiché il vestito era di seta, si era raccolto sul pavimento in un fagotto luccicante e leggero da cui lei uscì con un minuscolo passo, prima un piede e poi l'altro. Benché fosse rimasta in slip e reggiseno, continuava a raccontare senza dare importanza alla cosa, e senza tradire alcuna intenzione che non fosse quella di compiere un gesto che aveva deciso di fare. Raccolse il fagotto di seta e mentre raccontava di come poi, anni dopo, si era effettivamente separata da quel bambino, lo appoggiò su una sedia e si avvicinò al letto. Continuando a parlare tirò giù il copriletto rosso e per questo l'uomo fece una piccola smorfia, come se qualcosa l'avesse punto. Ma lei non ci badò, si tolse un fermaglio che aveva tra i capelli e scivolò sotto le lenzuola, che era la cosa a cui forse aveva pensato, con grande desiderio, dal primo momento in cui era entrata in quella stanza, probabilmente per trovare una forma di rifugio, o di dolcezza, infantile. Si sganciò il reggiseno, lo buttò in un angolo della stanza, si sistemò il cuscino e poi si tirò su il lenzuolo, fin sotto il mento. Stava raccontando di quel che le era successo una volta in una specie di ufficio di collocamento, e ancora adesso non riusciva a crederci. Era una cosa che c'entrava col ricominciare da capo. Si augurava che l'uomo lo capisse, ma non era facile farsi un'idea al proposito perché l'uomo stava ad ascoltare senza un cenno, sempre in piedi, una mano stretta sul manico di una valigetta. Aveva i piedi nelle sue scarpe bagnate. Ogni tanto li muoveva, per il fastidio. A un certo punto chiese alla donna come si fa ad avere un figlio a diciassette anni. Cioè, se lei aveva scelto di averlo, o semplicemente era andata così. La donna sollevò le spalle. Non è una bella storia, disse, e da tanto tempo ho deciso di non ricordarmela più. Non sarà una cosa facilissima, dimenticarsela, osservò l'uomo. Di nuovo la donna sollevò le spalle. Ho girato pagina, disse. L'uomo stette un po' a guardarla poi le chiese se aveva ricominciato da capo, in quel modo che sognava, col bambino in braccio. Sì, rispose la donna, e sa cosa ho capito? L'uomo non rispose. Ho capito che non si cambia veramente mai, non c'è modo di cambiare, come si è da piccoli si è tutta la vita, non è per cambiare che si ricomincia da capo. E per cosa, allora?, chiese l'uomo. La donna stette un po' in silenzio. Non si era accorta che il lenzuolo era scivolato giù, sul seno, o non le importava. Magari era quello che voleva. Si ricomincia da capo per cambiare tavolo, disse. Si ha sempre questa idea di essere capitati nella partita sbagliata, e che con le nostre carte chissà cosa saremmo riusciti a fare se solo ci sedevamo a un altro tavolo da gioco. Lei aveva lasciato il bambino a sua madre e aveva ricominciato da un'altra città, da un altro mestiere, da un altro modo di vestire. Probabilmente voleva anche lasciarsi dietro un po' di cose che non era possibile rimettere a posto. Adesso non riusciva a ricordare bene. Ma certo era stufa di perdere. Come le ho detto, aggiunse, cambiare le carte è impossibile, non resta che cambiare il tavolo da gioco.

Ha trovato il suo?, chiese l'uomo.

Sì, rispose con sicurezza la donna, è un tavolo che fa schifo, tutti barano, il denaro è sporco, e la gente non vale niente.

Che meraviglia...

Non starei a fare troppo la difficile, con le carte che ho in mano.

Tipo?

Sono imprecisa, poco intelligente, e troppo cattiva. E non ho mai finito una cosa nella vita. Le basta?

Cosa significa cattiva?

Non mi importa di vedere soffrire la gente. Ogni tanto mi piace. Si segga, mi dà fastidio, lì in piedi, per favore.

Ora davvero devo andare.

Sul letto. Si segga sul letto. Può starsene là in fondo se le dà fastidio avvicinarsi.

Non mi dà fastidio, è che devo andare.

Così, bravo.

Un attimo, poi devo proprio andare. Mi dica solo come farà a uscire da qui, domani.

Prego?

Domani mattina, se la vedono.

E che ne so. Mi inventerò qualcosa. Che lei mi ha caricato ieri sera e che stamattina se n'è sparito nel nulla portandomi via il portafoglio. Cose così.

È molto gentile da parte sua.

Si immagini.

In realtà non ha idea di come mi importi poco.

Davvero?

Davvero.

Cioè, fa finta?

Finta di che?

Di essere uno a cui frega cosa pensano in un albergo di lui. Un deficiente di quel tipo.

No, lo sono davvero. È che ormai è tardi.

Non faccia così, scherzavo, non la metterò nei guai, non mi vedranno uscire, se c'è una cosa che so fare è lasciare un albergo senza che nessuno se ne accorga, mi creda. Scherzavo.

Non è quello.

E cosa allora?

Niente. È che ormai è tardi.

Per cosa?

Lasci perdere.

È così importante 'sta cosa di lavoro?

Sarei dovuto andarmene prima. È che non riuscivo ad alzarmi da quella poltrona.

Magari non ne aveva voglia.

È anche possibile. Ma sarebbe esageratamente illogico per uno come me.

Non fa mai cose illogiche?

No.

Mai un errore?

Molti, ma mai illogici.

C'è differenza?

Ovviamente.

Mi faccia un esempio.

Ne avrei uno perfetto, piuttosto recente, ma mi creda, non è il caso adesso di parlarne.

Ha sorriso.

Prego?

È la prima volta che sorride, da quando ci conosciamo. Ha un bel sorriso, lo sa?

Grazie.

Dovrebbe farlo più spesso, di sorridere dico, le dà quel tocco malinconico che piace alle donne.

Cos'è, ci sta provando?

Ehi, ehi!

Mi scusi, era una battuta.

Una battuta. Mi auguro sia in grado di fare meglio.

Sì, sono in grado di fare meglio, ma non stanotte, mi spiace.

Cos'ha stanotte che non va?

È la notte sbagliata.

Se ne sta qui, con una donna nuda nel letto, a chiacchierare, cosa c'è che non va, a parte la deplorevole assenza di alcol, voglio dire.

Se vuole ci dovrebbe essere un mobile bar da qualche parte.

Come sarebbe a dire "ci dovrebbe essere", sono sedici anni che viene in questo albergo e non ha mai guardato dov'è il mobile bar?

No.

Lei è pazzo.

Bevo poco.

Un po' d'acqua, non le è mai venuto da bere neanche un po' d'acqua?

Di solito la porto con me.

Gesù, lei è pazzo. Mi faccia il piacere di andare a cercare questo cavolo di mobile bar. In genere è sotto la televisione.

In effetti ha l'aria di essere la soluzione più logica.

La soluzione più logica sarebbe di fianco al letto.

Sbagliato. Il rumore non la farebbe dormire.

Ma l'alcol sì.

Birra?

Birra? Non c'è altro?

Niente con dell'alcol dentro.

Che schifo di albergo. Non è che ci sono dei popcorn, vado matta per i popcorn...

No, niente da mangiare.

Che schifo. Va be', facciamoci bastare la birra. Ne prenda una anche lei.

Ma l'uomo disse che preferiva non bere, era riuscito a non farlo per tutta la notte, e non gli andava di mollare proprio adesso. Disse che aveva bisogno di rimanere lucido. Poi andò verso il letto e mentre attraversava la stanza si accorse della luce che filtrava dalle tende. Tornò indietro e con una mano cercò i cordoni con cui aprirle, ricordandosi di come fosse matematico, seppur per ragioni incomprensibili, tirare sempre quello sbagliato, quello che apre quando vuoi chiudere, o viceversa. Lo disse alla donna, nel modo più spiritoso di cui era capace, e intanto riuscì a scostare un poco le tende. Era l'alba. Guardò il cielo lontano rischiarato da una luce ambigua e non fu più sicuro di niente. La donna chiese se la stava covando, quella birra, e allora lui andò a portargliela. Si segga, disse la donna, ma con un tono dolce, questa volta. Un attimo, disse l'uomo, e ritornò alla finestra. C'era quella luce. Pensò che era un invito, ma adesso gli risultava complicato capire se era rivolto anche a lui. Guardò l'orologio come se ci fosse qualche probabilità di trovare lì una qualche risposta e non ne dedusse nulla di utile, tranne la vaga impressione che fosse un'ora sbagliata per un sacco di cose. Forse avrebbe dovuto crederci ancora, uscire da quella stanza, salire in macchina e infilare un'autostrada pigiando sull'acceleratore. Forse sarebbe stato più appropriato infilarsi in quel letto e scoprire se il corpo della donna era davvero desiderabile come sembrava. Ma questo lo pensò come se fosse un'idea di un altro, non sua. Sentì lo schiocco di una lattina che si apriva e poi la voce della donna che gli chiedeva se lui era sempre stato così. Così come? Così tutto a posto, disse la donna. L'uomo sorrise. Poi disse No. Allora la donna volle sapere quando aveva iniziato ad esserlo, se se lo ricordava, e fu per questa ragione che lui, senza spostarsi dalla finestra, disse che se lo ricordava benissimo, aveva tredici anni ed era successo tutto in una notte. Disse che lì si era spezzato tutto. Davanti alla sua

33

casa che bruciava, in quella notte, si era spezzato tutto, davanti a quel fuoco senza senso. Avevo tredici anni, ripeté. Poi ho incontrato un uomo che mi ha insegnato a mettere le cose a posto, e da allora non ho mai smesso di pensare che non abbiamo altro compito, se non quello. C'è sempre una casa da ricostruire, aggiunse, ed è un lavoro lungo, per cui ci vuole molta pazienza. La donna gli disse ancora una volta di andarsi a sedere sul letto, ma lui non rispose e, come inseguendo dei suoi pensieri, raccontò che suo padre ogni sera ascoltava la radio scolandosi una bottiglia di vino, fino alla fine. Si sedeva al tavolo, posava la sua pistola davanti a sé, e di fianco la bottiglia. Beveva a canna, lentamente, e non lo si poteva disturbare, mentre lo faceva, per nessuna ragione. La pistola non la toccava mai. Gli piaceva che stesse lì, solo quello. Disse che anche quella notte era andato tutto esattamente così, la notte in cui il fuoco si era preso tutto. Poi chiese alla donna se lei ce l'aveva una casa.

Quattro muri e un letto? Certo.

Non in quel senso. Una casa veramente. Nella sua testa.

Non sono mica sicura di capire.

Qualcosa che lei sta costruendo, il suo compito.

Ah, quello.

Sì, quello.

Gliel'ho detto, non finisco mai niente.

Le è accaduto almeno di cominciare, una volta?

Forse una.

Dov'era?

Di fianco a un uomo.

È un buon punto di partenza.

Mah.

Il padre del bambino?

Quello? Figurarsi, quello era un gran coglione, quello al momento buono è sparito.

Mi spiace.

Neanche un lavoro aveva. O forse sì, ma una cosa tipo ladro di macchine.

E l'altro?

Chi?

L'uomo della casa.

Be', quello...

Aveva qualcosa di speciale?

Tutto. C'è solo lui, al mondo.

Cioè?

Non c'è nessuno come lui.

Dov'è adesso?

Non con me.

Perché?

Lasci perdere.

Non l'amava?

Oh sì che mi amava.

E allora?

Abbiamo fatto un sacco di casino.

Tipo?

Non capirebbe.

Perché?

Ha idea di cosa significhi essere pazzo di qualcuno?

Temo di no.

Ecco.

Provi a spiegarmi.

Scherza?

Ci provi, mi dica anche una cosa soltanto.

Perché?

Non ho altro da fare. Devo aspettare che le scarpe asciughino.

Questa è una buona risposta. Cos'è che vuole sapere esattamente?

Cosa vuol dire essere pazzo di qualcuno.

Non lo sa.

No.

Alla donna venne soltanto in mente che capisci tutti i film d'amore, li capisci *veramente*. Ma anche quella non era facile da spiegare. E suonava un po' idiota. Senza volerlo le tornarono in mente tante scene che aveva vissuto al fianco dell'uomo che amava, o lontano da lui, che poi era la stessa cosa, lo era da un sacco di tempo. Di solito cercava di non pensarci. Ma lì le tornarono in mente e in particolare si ricordò di una delle ultime volte in cui si erano lasciati e di quello che aveva capito in quell'istante – era seduta al tavolino di un caffè, e lui se n'era appena andato. Quel che aveva capito, con certezza assoluta, era che vivere senza di lui sarebbe stato, per sempre, la sua occupazione fondamentale, e che da quel momento le cose avrebbero avuto ogni volta un'ombra, per lei, un'ombra in più, perfino nel buio, e forse soprattutto nel buio. Si chiese se poteva andare come spiegazione di cosa significhi essere pazzo di qualcuno, ma alzando lo sguardo verso l'uomo in piedi davanti alla finestra, lì con la sua valigetta in mano, lo vide così elementare e definitivo che le sembrò totalmente insensato cercare di spiegare. Tutto sommato non aveva neanche voglia di farlo, né era lì per quello. Così sorrise di un sorriso triste che non era da lei e disse che no, era meglio lasciar perdere. Sia gentile, disse all'uomo, non parliamo più di me. Come preferisce, disse l'uomo. La donna aprì un'altra lattina di birra e rimase in silenzio per un po'. Poi chiese come diavolo si finiva a costruire bilance. Non le interessava, veramente, ma voleva farla finita con quel silenzio, o forse con il ricordo dell'uomo che amava. Per questo chiese come si finisce a vendere bilance. All'uomo dovette parere una domanda importante perché si mise a ricordare quando gli avevano insegnato la prima volta a misurare. A misurare bene. Gli era piaciuto quel che si faceva con le mani, a misurare bene. Probabilmente era lì che si era legato all'idea che mancavano gli strumenti, per misurare, e questo era l'inizio di qualsiasi problema. Doveva misurare due vernici e mescolarle, misurare con esattezza quanta ce ne voleva di una, e quanta dell'altra. Se facevi le cose per bene il pennello sarebbe scivolato sul legno, e la tinta sarebbe stata quella giusta nella luce del mattino, e un po' più calda in quella del tramonto. Gli sarebbe piaciuto spiegare come questo avesse a che fare con il compito che abbiamo tutti di ricostruire la casa, e in certo modo ne fosse il principio, l'aurora. Ma mentre cercava le parole abbassò lo sguardo verso la strada e vide che tre auto della polizia si erano fermate davanti all'ingresso dell'albergo, le luci blu lampeggianti. Un poliziotto stava in piedi, appoggiato a una portiera aperta, e parlava in una radio. L'uomo smise di parlare e si voltò verso la donna, là nel letto. Solo in quel momento si accorse dei suoi occhi, che aveva chiari, ma grigi, come di lupo: e capì dove iniziava la sua bellezza. La ascolto, disse la donna. L'uomo rimase a fissarla – quegli occhi – ma alla fine tornò a guardare dalla finestra e riprese a ricordare i due barattoli di vernice, e il liquido denso che scendeva in un misurino di vetro.

Ci si metteva un po' a imparare, disse alla fine.

Lei è strano, disse la donna. Venga qui.

No.

Perché?

La notte è finita.

Non starà ancora a pensare a quel dannato appuntamento? L'avranno già data per morto.

Non è quello.

E allora? Ha paura che la becchino, domani mattina, con una donna in abito da sera? Le ho detto che sono in grado di sparire da qui senza che neanche se ne accorgano.

Davvero?

Certo.

Forse dovrebbe farlo adesso.

Non ci penso nemmeno! E perché?

Mi creda, lo faccia adesso.

Che cavolo dice?

Niente.

Anzi, sa cosa faccio? Qui ci vuole una bella colazione in camera, per festeggiare.

Metta giù quella cornetta.

Qual è il numero della reception?

Non lo faccia, la prego.

Nove, ecco, è sempre il...

METTA GIÙ QUELLA CORNETTA.

Stia calmo, cosa le prende?

LA METTA GIÙ IMMEDIATAMENTE!

D'accordo... d'accordo, ecco, fatto.

Mi scusi.

Cosa l'è preso?

Non era una buona idea.

Sì che lo era.

Mi creda, non lo era.

Mica ne chiedevo due, ne chiedevo una, ce la dividevamo, e quando la portavano su mi andavo a nascondere in bagno.

L'uomo sembrò per un attimo pensare che in effetti avrebbe potuto anche funzionare, ma in realtà non era a quello che stava pensando. Fece per dire una cosa, quando bussarono alla porta, tre volte. Dal corridoio una voce disse "Polizia della Contea", lo disse senza enfasi, ma forte, senza tentennamenti. L'uomo rimase un istante in silenzio, poi disse a voce alta "Arrivo". Si voltò a guardare la donna. Stava immobile, le lenzuola che le erano scivolate fino ai fianchi. L'uomo si tolse la giacca, si avvicinò al letto, e la porse alla donna. "Si copra," disse. Bussarono ancora una volta alla porta. La donna si infilò la giacca, guardò l'uomo e disse piano "Non deve preoccuparsi". L'uomo fece cenno di no con la testa. Poi disse a voce alta "Arrivo", e si diresse verso la porta. La donna infilò le mani nelle tasche della giacca e con la mano destra sentì una pistola. La strinse. L'uomo aprì la porta.

Polizia della Contea, disse il poliziotto, mostrando un distintivo. L'altra mano la teneva appoggiata al calcio di una pistola che gli pendeva dal cinturone.

È lei il signor Malcolm Webster?, chiese il poliziotto.

Sì, sono io, disse l'uomo.

Devo chiederle di seguirmi, disse il poliziotto.

Poi si voltò verso il letto e non parve sorpreso di trovarci la donna, sotto le coperte.

La pistola?, le chiese.

Tutto a posto, rispose la donna, ce l'ho io.

Il poliziotto fece un cenno di assenso con la testa.

Tornò a voltarsi verso l'uomo.

Andiamo, disse.

Due

Lei era una ragazzina, e quel vestirsi da donna la faceva sembrare ancora più giovane. Come il trucco, anche quello: il rosso alle labbra e i segni pesanti intorno agli occhi – occhi chiari, ma grigi, come da lupa. Arrivò verso le nove di sera, col suo ragazzo, quello che evidentemente doveva essere il suo ragazzo, di un bel po' più vecchio di lei. Dovevano già aver bevuto parecchio. Non avevano prenotato, e al portiere dell'albergo dissero che i documenti li avevano dimenticati in macchina. Il portiere era un uomo sulla sessantina a cui la direzione aveva ordinato di non fare troppo il difficile e di farsi pagare in anticipo. Non era il tipo che potesse permettersi di fare di testa sua, così diede ai due una stanza al terzo piano e si fece pagare. Il ragazzo tirò fuori una mazzetta di banconote dalla tasca e pagò in contanti. Mentre lo faceva, aggiunse qualche frase piuttosto rozza, perché ci teneva a far capire che era un duro. La ragazzina non disse niente. Se ne stava in piedi, due passi più in là.

Salirono in stanza ma quasi subito scesero di nuovo e se ne uscirono, a cena, senza salutare.

Era un hotel piuttosto squallido, alla periferia della città.

Nel cuore della notte il portiere d'albergo, sdraiato sulla brandina, sentì dei rumori, nella hall, come delle voci soffocate. Si alzò a vedere e appoggiati a una parete vide i due che si baciavano. La ragazzina aveva l'aria di voler salire in stanza, ma lui la teneva schiacciata contro il muro e lei tra un bacio e l'altro ridacchiava. Il ragazzo le infilò una mano sotto la gonna e lei allora chiuse gli occhi, senza smettere di ridere. Poteva anche essere una scena carina, ma lui aveva un modo di fare che non era completamente bello. Il portiere dell'albergo diede un leggero colpo di tosse. Il ragazzo si voltò verso di lui e poi tornò a fare quel che stava facendo, come se non gli importasse se qualcuno lo stava guardando, o come se gli piacesse. Ma al portiere la cosa non andava e così prese la chiave della loro stanza e disse a voce alta che sarebbe stato loro grato se fossero saliti. Il ragazzo bestemmiò qualcosa, ma tolse la mano di là, e la usò per risistemarsi i capelli. Alla fine presero la chiave e salirono. Il portiere d'albergo rimase in piedi dietro al bancone, e stava pensando a quel che di delizioso c'era in quella ragazza quando la ragazza ricomparve nella hall, con un'ombra di stanchezza che non aveva prima, e disse che non c'erano gli asciugamani, in stanza. Il portiere era sicuro che ci fossero ma andò a prenderli nel retro senza starsi a chiedere cos'era quella storia. Tornò con gli asciugamani e li porse alla ragazza che lo ringraziò, in un bel modo, e fece per andarsene. Ma fatti due passi si fermò, e girandosi verso l'uomo fece una domanda, come se la tenesse in serbo da tempo, e con un tono in cui c'era semplice curiosità, e un po' di quella stanchezza.

Quando dormono i portieri di notte?, chiese.

Di notte, rispose l'uomo.

Ah.

Un po' a pezzi, si intende.

Nel senso che siete un po' a pezzi, poi.

Nel senso che capita di doversi svegliare e riaddormentare molte volte.

Non dev'essere un granché. Com'è finito a fare un lavoro del genere?

Non ero nelle condizioni di poter scegliere. E poi non mi dispiace.

Certo fare la rockstar era un'altra cosa.

Non avrei disposto certo della tranquillità e del tempo che ho il privilegio di avere.

Prego?

Dico che a me va bene così. Volevo starmene tranquillo.

Contento lei. Secondo me non ha avuto le palle per sognarsi qualcosa di meglio. Buonanotte.

Curioso, è la stessa cosa che ho pensato di lei.

Scusi?

Quando l'ho vista entrare, e poi dopo, lì, nella hall, mi è accaduto di pensare che era un peccato.

Cosa era un peccato?

Quel ragazzo. Lei con quel ragazzo. Lei, se mi posso permettere, è una ragazza deliziosa, si capisce subito.

Ma che puttanate dice?

Mi scusi. Le auguro buonanotte.

No, adesso mi dice quel che voleva dire.

Non è importante.

Ne sono sicura, ma adesso me lo dice lo stesso.

Il suo ragazzo aspetterà gli asciugamani.

Cazzi miei. Cos'è questa storia della ragazza deliziosa?

Tiene i piedi uno attaccato all'altro, proprio attaccati. Non sempre le ragazze capiscono che se hanno i tacchi alti il modo di stare, quando sono ferme, in piedi, è con i piedi attaccati. Alle volte ci passa anche solo un dito, ma non è la stessa cosa.

Ma senti questo.

Non tutte lo capiscono ma lei lo sa, e poi anche tutto il resto, ha un bel modo di... di tutto. Il ragazzo invece è tutto sbagliato, no?

Ma si sente?

E quindi ho pensato che era un peccato. Ho pensato che lei forse non aveva avuto le palle per sognare qualcosa di meglio.

Lei dovrebbe dormire un po' di più, lo sa? Sta mica bene.

Può darsi. Ma certe cose si capiscono.

Ma cosa crede di capire lei?

Certe cose.

Cos'è, ha studiato, fa lo psicologo, di giorno, è un indovino?

No. È che ho una certa età, e ne ho viste di tutti i colori.

Restando in piedi dietro al bancone di un hotel?

Anche.

Sai che esperienza.

Ne ho fatte altre.

Tipo?

Avere figli come lei.

Capirai.

Le sembra una cosa da nulla?

Tutti sono capaci di avere figli.

Questo è vero. Sono stato in galera. Questo le piace?

Lei, in galera?

Tredici anni.

Mi prende per il culo?

Non oserei mai.

Lei non è un tipo da galera.

No, infatti.

C'è finito per sbaglio?

Ci sono finito per tutta una serie di cause che si sono allineate in modo anomalo e incorreggibile.

Non capisco.

Ho ucciso un uomo.

Cazzo.

Il suo ragazzo la sta aspettando.

Ha ucciso un uomo come?

Gli ho sparato. Un colpo, solo uno.

Che mira...

Era a un metro, non è che fosse proprio facilissimo sbagliarlo. Però il fatto di avere sparato un solo colpo mi ha aiutato, in tribunale. Non c'è accanimento, capisce?

Dà l'idea che non ci ha proprio provato gusto.

Ecco.

Una cosa pulita.

Per così dire.

Perché l'ha ammazzato?

È tutta una storia.

Va be', la faccia breve.

Perché dovrei?

Non so, mi piacerebbe saperla.

Facciamo così...

Sì, ma in fretta che devo salire.

Io le racconto la storia, ma lei in cambio se ne va via da questo albergo, subito, senza neanche salutare quello là.

Prego?

Ho detto che glielo racconterei volentieri, perché l'ho ammazzato, ma in cambio mi piacerebbe che lei poi se ne andasse da qui, e tornasse a casa.

Ma che cazzo dice?

Sinceramente non lo so. Ma mi è venuta questa idea. Mi piacerebbe molto vederla uscire da quella porta e andarsene in qualche posto migliore.

Cos'ha questo posto che non va?

Quell'uomo.

Il mio ragazzo?

Forse. Lei e quel ragazzo, sì. È tutto sbagliato.

Ma tu senti.

Magari mi sbaglio.

Certo che si sbaglia.

Sicura?

Certo.

Allora mi scusi. Prenda gli asciugamani. Buona-notte.

Un attimo, un attimo.

Vada.

Un attimo. La storia, prima.

Le ho detto che gliela racconterei volentieri, ma in cambio dovrebbe farmi la cortesia di uscire da quella porta, e tornarsene a casa.

Ma cos'è, scemo? Non penserà mica che io lo faccia veramente? Di andarmene solo perché a lei *piacerebbe*.

In effetti la vedo come un'eventualità improbabile.

Dica pure impossibile.

Perché?

È la vita mia, che c'entra lei?

A parte questo?

A parte questo in ogni caso non potrei andarmene.

Perché?

Lui mi riempirebbe di botte.

Ah, ecco.

Contento?

No. Affatto. Come si è ficcata in questa situazione?

Che ne so.

Fantastico.

Mi piaceva... cioè, mi *piace*, solo che...

Cosa le piace?

Il mio ragazzo.

Sì, ma cosa le piace, in lui?

Che cavolo di domanda, mi piace lui, com'è fatto, mi piace che è pazzo, mi piace a letto. Sa di cosa parlo?

Posso riuscire a farmi un'idea.

Ecco, allora se la faccia.

Non ce n'era uno meno propenso alla volgarità e alla violenza?

Ma come cazzo parla?

Perché non se ne trova uno gentile che non la mena?

Ce ne sono?

Lei è splendida.

Lasci perdere. Mi dia 'sti asciugamani.

Tenga.

Credo di avere bisogno di una bella doccia.

Probabilmente.

Mi toccherà farla senza sapere come diavolo un imbranato come lei sia finito a fare l'assassino.

Vada a farla a casa, la doccia, e lo saprà.

A casa? Lei non ha idea.

Ce l'avrà una casa.

Non è casa mia, è casa di mia madre.

In genere non fa differenza.

Risponda, è sicuramente lui.

Reception, buonasera... Sì, è qui... Non ne ho idea... Sì, gliela passo.

Pronto... Sto arrivando... Mi son fermata a chiacchierare un attimo... Col portiere... Sì, a chiacchierare... Potrebbe essere mio nonno, Mike... Oh, ma saranno fatti miei... No, guarda... Ti ho detto che arrivo... OH, MA MI LASCI IN PACE UN ATTIMO?, ti ho detto che arrivo... SEI TU CHE URLI!... macché mezz'ora, sarà cinque minuti... che ne so, sarà in fondo alla borsa... non urlare ti prego... NON URLARE CAZZO... HO DETTO DI... ma vaffanculo.

Mi spiace, è colpa mia.

Che cazzo...

Vada.

No, me lo richiami per favore.

Al telefono?

E a cosa, se no? Veloce.

Credo proprio che...

Veloce, che se no quello scende!

Tenga.

Pronto?... Pronto?... Scusa, scusami, ti prego scusami... Mike... d'accordo... salgo subito... giuro... prendo solo gli asciugamani... Ti amo... sì... te l'ho detto... sì, arrivo.

Adesso vada.

Sì, vado.

Buonanotte.

Non mi ha preso per il culo, vero?

In che senso?

Ci è stato veramente in prigione.

Tredici anni.

Tredici?

Ho letto molto. Sono passati.

Io ci sarei impazzita, là dentro.

Lei è giovane, è diverso. Vada.

Secondo lei quanti anni ho?

Diciotto. Lo ha scritto lei, nel modulo che ha compilato per l'albergo.

E lei ci crede?

No.

Quindi?

Me lo dica lei.

Sedici.

Accidenti.

Dicono tutti che è un'età speciale.

Sì, pare che sia così.

Lei crede che sia un'età speciale?

Non lo so, non l'ho mai avuta.

L'ha saltata?

Per così dire.

Un peccato.

È un peccato anche buttarla via come sta facendo lei.

Non la sto affatto buttando via.

Mi scusi, ha ragione, io non ne so niente.

Perché dice che la sto buttando via?

Non so. La sua faccia.

Cos'ha la mia faccia?

È molto bella.

E allora?

Sarebbe molto bella se non avesse quella cattiveria addosso.

Cattiveria?

Lei ha una faccia cattiva.

Figo!

Mah.

Io *sono* cattiva.

Contenta lei.

Sì, ne sono contenta, mi piace essere cattiva, mi difende dal mondo, è la ragione per cui non ho paura di niente. Cosa c'è che non va nella cattiveria?

L'uomo ci pensò un po'. Poi disse che bisogna stare attenti quando si è giovani perché la luce in cui si abita da giovani sarà la luce in cui si vivrà per sempre, e questo per una ragione che lui non aveva mai capito. Ma sapeva che era così. Disse che molti ad esempio sono malinconici, da giovani, e allora succede che lo rimangono per sempre. O sono cresciuti nella penombra e la penombra li insegue poi per tutta la vita. Così bisognava stare attenti alla cattiveria perché da giovani sembra un lusso che ti puoi permettere, ma la verità è un'altra, e cioè che la cattiveria è una luce fredda in cui ogni cosa perde colore, e lo perde per sempre. Disse anche che lui, per esempio, era cresciuto nella violenza e nella tragedia, e doveva ammettere che per una serie di circostanze non era mai più riuscito a uscire da quella luce benché in generale potesse dire di avere fatto le cose per bene, nel corso della sua vita, con la sola intenzione di rimettere le cose a posto, e in fondo riuscendo a farlo, ma innegabilmente in una luce che non era mai riuscita a essere diversa che tragica e violenta, con rari momenti di bellezza, che peraltro non avrebbe mai dimenticato. Poi vide l'ascensore che dal terzo piano scendeva verso il piano terreno e si accorse che qualcosa sul volto della ragazza si era indurito, qualcosa di molto simile a un piccolo spasmo di paura. D'istinto all'uomo venne di rientrare nella sua stanzetta, ma poi pensò che non poteva lasciare lì la ragazza e allora le disse Presto, venga con me, e lei stranamente lo seguì e si lasciò portare nella stanzetta dell'ufficio dove l'uomo le fece cenno di stare zitta, mentre cercava in giro qualcosa che non avrebbe saputo dire cos'era. Si sentì la porta dell'ascensore che si apriva e la voce del ragazzo che urlava il nome della ragazza. L'uomo aspettò un attimo, poi uscì dalla stanzetta e andò al bancone. Il ragazzo era in mutande e T-shirt. L'uomo lo guardò con tutta la mitezza impersonale di cui fu capace.

La devo pregare di non urlare, disse.

Urlo fin che voglio. Dov'è finita?

Chi?

La mia ragazza.

Non so. Ha preso gli asciugamani.

E dov'è finita?

Non so, credo che sia salita.

Quando?

Dopo che lei l'ha chiamata, al telefono, ha preso gli asciugamani poi non so.

E questi cosa sono?

Questi?

Sei rincoglionito?, questi, QUESTI, non sono asciugamani?

Deve averli lasciati qui. Non so, io avevo da fare, sono rientrato nella mia...

Ma che cazzo...

Deve averli dimenticati.

Dove è finita?

Forse è salita un attimo in terrazza.

Che terrazza?

Le avevo detto che c'è una terrazza, all'ultimo piano, da cui è bellissimo di notte, si vede tutta la città illuminata. Magari le è venuta voglia di...

La terrazza?

Non lo so, se non è tornata in stanza...

Come si arriva in 'sto cavolo di terrazza?

Sale con l'ascensore all'ultimo piano e poi c'è ancora un piano di scale. La porta è aperta.

Ma dimmi te. Sicuro che non l'hai vista uscire?

Uscire dall'albergo?

Uscire dall'albergo, sì, parlo arabo?

Può darsi, ma come le dicevo avevo da fare e quindi sono rientrato di là e...

Non ci provare a tirarmi scemo, sai?

Sto solo facendo il mio mestiere.

Mestiere di merda...

Mi è accaduto di pensarlo, sì.

Ecco, bravo, pensa ogni tanto, che non ti fa male.

I suoi asciugamani.

Fottiti.

Non li prende?

Vecchio rincoglionito...

Poi il ragazzo non aggiunse altro. Andò verso l'ascensore, ma gli venne in mente qualcosa per cui infilò le scale, bestemmiando a voce bassa. L'uomo non si mosse. Si accorse solo in quel momento che gli tremavano le mani e fu felice che il ragazzo non se ne fosse accorto. Rimase un po' lì, perché non era sicuro che il ragazzo non tornasse indietro e provò a pensare velocemente cosa adesso avrebbe dovuto fare. Non gli venne in mente niente. Che idiota, pensò, ma non si riferiva al ragazzo. Ritornò nella stanzetta e questa volta sapeva come si chiamava la ragazza. Mary Jo, disse, adesso sarebbe meglio se lei salisse, in fretta. Lei era seduta sulla brandina. Teneva i piedi uno attaccato all'altro, in quel suo modo bello. Fece cenno di no con la testa. Ho paura, disse. Di cosa?, chiese l'uomo. Di salire.

Se ne vada, allora, di corsa, disse l'uomo.

Ho paura anche di quello.

La accompagno io.

Non ha senso.

Perché?

Devo tornare su.

Ma invece se ne andrà via, è la cosa giusta da fare, la accompagno io.

Lei deve stare qui.

Non se ne accorgerà nessuno.

E poi dove cazzo vado?

Adesso non abbiamo tempo di discuterne. Venga.

Lasci stare. Mi è passata.

Venga, le ho detto.

Perché?

Guardi fuori, è già l'alba.

E allora?

È ora che lei torni a casa a dormire.

Cosa c'entra che ora è, sono mica una bambina.

Non è questione di ore, è una questione di luce.

Che cavolo dice?

È la luce giusta per tornare a casa, è fatta apposta per quello.

La luce?

Non c'è luce migliore per sentirsi puliti. Andiamo.

Non penserà davvero che...

Sì, lo penso. Venga con me.

Non sappiamo neanche dove cazzo andare!

Improvvisiamo. Verso la stazione, magari. Aprono presto, lì. Abbiamo bisogno tutt'e due di un buon caffè, non crede? Venga, usciamo dal retro. Le spiace lasciare gli asciugamani?

Non ci penso nemmeno. Questi me li porto via.

Come preferisce, ma si sbrighi, di qua.

Adoro rubare gli asciugamani negli alberghi.

Molto infantile.

Neanche per sogno. Cosa crede, che me li porto via per fare uno sgarbo a qualcuno?

Non vedo altra ragione. Come asciugamani non sono un granché. Venga, giriamo da qui.

Non mi importa della qualità. È che poi a casa mi ricordano dove sono stata. Questo riesce a capirlo?

Souvenir?

Tipo.

Ingombranti, come souvenir.

Vero. Me li regge lei? Grazie.

Cammini un po' più svelta però, la prego.

Abbiamo fretta?

Non so.

Che luce, comunque.

Gliel'avevo detto.

E in effetti, in quella mattina d'estate, l'alba dilagava nel cielo terso con tale sicurezza che perfino quei sobborghi senza ambizioni sembravano colti di sorpresa, finendo per cedere a una quasi bellezza per cui non erano stati costruiti. C'erano dei bagliori ottimisti alle finestre, e l'erba poca brillava, dov'era, di un verde inaspettato. Passavano macchine, rare, e anche loro sembravano aver sospeso qualsiasi fretta particolare, come se stessero attraversando una tregua. L'uomo e la ragazza camminavano uno di fianco all'altra, ed era uno spettacolo strano perché la ragazza era bella e l'uomo molto qualunque, oltre che vecchio. Si sarebbe penato a capirne la storia, nel vederli, lei sui suoi tacchi alti, il passo sicuro, lui un po' curvo, con un set di asciugamani bianchi sotto il braccio. Forse un padre e una figlia, ma neanche. Girarono intorno al muro di una vecchia fabbrica di birra, lasciando la strada principale, e l'uomo non stette a dire che preferiva andare di lì perché gli restava il timore di quel ragazzo in mutande, e la sicurezza che non avrebbe trovato la terrazza, visto che non c'era. Preferì raccontare qualcosa su quella fabbrica di birra, e sull'odore di malto e di pub che ancora si sentiva, a passarci accanto. Raccontò che il proprietario era scappato ai Caraibi, tre anni prima, e allora per un po' gli operai avevano gestito la fabbrica da soli, senza cavarsela neppure male, ma poi le cose erano andate come dovevano andare. La ragazza chiese se lui l'aveva mai bevuta, quella birra, e l'uomo disse che non beveva più, da anni, non se lo poteva permettere, perché era in libertà vigilata e qualsiasi fesseria gli fosse capitato di fare avrebbe finito per riportarlo in galera in un batter d'occhio. Quindi preferisco rimanere lucido, disse. Nel caso, vorrei che fosse una fesseria che ho scelto lucidamente di fare, aggiunse. Forse si riferiva lontanamente a quello che stava facendo in quel momento. Dovette pensarlo anche la ragazza perché subito gli disse che adesso poteva anche tornare all'albergo, lei se la sarebbe cavata. Ma l'uomo fece di no con la testa, senza aggiungere nulla. Era così evidentemente indifeso, nella sua tranquillità, che la ragazza gli volle bene, per un attimo. Realizzò solo in quel momento che lui stava rischiando realmente di perdere il lavoro, camminando all'alba intorno a una birreria morta, di fianco a una ragazza matta, e la cosa stranamente non le piacque. All'improvviso le stette a cuore che quell'uomo non dovesse soffrire, e seguendo i suoi pensieri arrivò addirittura a pensare che le sarebbe piaciuto che non avesse sofferto mai, nella vita. Fu per quello che a un certo punto chiese all'uomo se l'avevano aspettato, i suoi, durante tutti quegli anni in galera.

Più o meno, rispose l'uomo.

Sì o no?

Mia moglie più o meno. E i figli, uno era già grande, se n'è andato, gli altri due son rimasti con la madre.

Vuole dire che quando è uscito non aveva più una casa sua.

Ci abbiamo provato, per un po', ma non funzionava. Erano cambiate molte cose.

Tipo?

Io, ero cambiato. Anche loro. Tutti. Non è facile.

Si vergognavano di lei?

No, non credo, vergognarsi non è il termine giusto. Forse sarebbe più appropriato un termine che avesse a che vedere col perdono.

Non l'hanno perdonata.

Qualcosa del genere. È un peccato, perché in realtà l'avevo fatto per loro.

Cosa?

È per loro che ho ucciso quell'uomo.

Sul serio?

Sì. Per me, per loro. Per difendere casa mia.

Non ce la faccio se cammina così veloce.

Mi scusi.

Non abbiamo fretta, no?

Non lo so.

Il mio ragazzo?

Quello.

Bah. Continui a raccontare.

Cosa?

Mi deve una storia.

Giusto.

Allora?

Era uno strozzino. L'uomo che ho ammazzato era uno strozzino.

Wow!

Sa di cosa parlo?

Certo, sono mica scema. Uno strozzino.

Gli dovevo un sacco di soldi. Voleva prendersela con i miei figli.

E così gli ha sparato.

Sì.

Che idiozia, quelli minacciano ma poi al momento buono non combinano nulla. È il loro sistema.

Non in quel caso.

Come lo sa?

Ha iniziato con cose fastidiose, niente di violento, ma sono cose spiacevoli. Degli avvertimenti.

E lei si è preso paura.

No. Ero calmo. Ma non trovavo quei soldi, e lui ha continuato. Sapeva tutto di noi, gli orari, i posti, tutto.

Poteva denunciarlo.

Prima o poi sarebbe uscito e allora ci avrebbe ritrovato. Funziona così. Chi denuncia, poi la paga.

Che merde. Lei sa dove stiamo andando, vero?

Più o meno.

Okay. Allora continui.

Niente, me l'ero andata a cercare, quei soldi mi servivano, e mi son trovato in quel pasticcio.

E non gli è venuto nient'altro in mente che sparargli?

Non c'era altra via d'uscita, mi creda. Ammazzarlo era la sola mossa che chiudesse la partita.

E si è studiato un piano?

Più o meno. Ho cercato di capire se c'era qualcosa in cui ero più forte di lui.

E l'ha trovata.

Sì. Avevo più fantasia e una faccia da vigliacco.

Cioè?

Non si sarebbe mai aspettato che potessi fare qualcosa di coraggioso, o di violento. Così gli dissi che avevo i soldi, decisi un posto, lui neanche si prese la briga di sceglierlo bene, o di farsi accompagnare da qualcuno. È arrivato, io mi sono avvicinato e gli ho sparato. Era l'ultima cosa che si sarebbe aspettato.

Cavolo.

È così che è andata.

Non le ha fatto... voglio dire, non le ha fatto impressione? Sparare, dico.

Sono cresciuto in un mondo in cui la gente sparava. Mio padre faceva il contabile, ma quando era necessario sparava.

Sul serio?

Era un mondo così. La gente si uccideva, e lo faceva normalmente.

In che senso *normalmente*?

Questa è un'altra storia, questa non gliela devo.

E va bene. Finisca la mia, allora.

Cosa vuole sapere ancora?

Cosa ha fatto, dopo. È scappato, è andato alla polizia, cosa ha fatto?

Sono salito in macchina e per un paio di giorni me ne sono andato in giro. Il primo giorno avevo degli appuntamenti con dei clienti, ci sono andato. Poi basta, sono andato in giro e basta. Non ho nemmeno più telefonato a casa.

È scappato.

No. Me ne andavo in giro. Ma non mi sono nascosto neppure per un attimo. Non mi importava se mi prendevano.

Perché?

Avevo ancora la pistola con me. La tenevo nella tasca della giacca. Pensavo prima o poi di uccidermi.

Veramente?

Quella era l'idea. Era un'idea logica.

Però poi non l'ha fatto.

Pensavo di farlo quando avrei visto arrivare la polizia. Ma sono stati molto abili.

Cioè?

Si immaginavano qualcosa del genere e allora sono stati molto abili. Mi hanno seguito per un po' da lontano, poi hanno scelto bene il momento. Ero in un albergo e sono venuti a prendermi là, all'alba, ma in un bel modo, con garbo. Sono stato fortunato, erano poliziotti che ci sapevano fare.

Quindi non si è sparato.

Come vede.

Magari era meglio se si sparava.

Chi lo sa. Ma mi sentirei di escluderlo. È sempre meglio vivere.

Anche in prigione?

Ma l'uomo non rispose perché un'auto nera, qualche incrocio più in là, inchiodò d'improvviso e ingranò la retromarcia. È lui?, chiese l'uomo, e la ragazza fece sì col capo. Era impallidita. Di qua, disse l'uomo, e si misero a correre verso il viale grande, dove passavano più macchine e magari c'era anche gente. La ragazza si chinò a togliersi le scarpe e tenendole in mano si mise a correre veloce. All'uomo batteva il cuore nelle orecchie, stava cercando di pensare, di farsi venire qualche idea. Era certo che il ragazzo li aveva visti, ma probabilmente era talmente incazzato che ci avrebbe messo un po' a orientarsi in quella rete di stradine. Forse avevano ancora qualche minuto, sebbene non fosse chiaro cosa se ne potessero fare. Forse arrivare al viale era già qualcosa, pensò, e quando lo raggiunsero si voltò a guardare se la macchina nera l'aveva trovato prima di loro. Vide un autobus che si avvicinava, con la freccia che lampeggiava. Si voltò e vide la fermata a una ventina di metri da loro. Di qua, presto, gridò alla ragazza, e intanto sollevò il braccio perché l'autobus si fermasse davvero. Arrivarono alla fermata e il tempo che l'autobus ci mise a frenare e aprire le porte sembrò un'eternità. Salga, veloce, disse l'uomo. La ragazza salì senza dire una parola. L'uomo si mise istintivamente una mano in tasca per cercare un biglietto, perché era quel tipo di uomo lì. Ma non ci fu tempo, perché le porte si chiusero. Da dietro il vetro la ragazza gli urlò qualcosa e lui pensò che gli stava chiedendo come mai non era salito. Fece solo cenno di no, con la testa. L'autobus partì e lui vide la ragazza che lo salutava, con la mano. Gli parve che lo facesse in un modo bello, come probabilmente faceva qualsiasi cosa.

Poi se ne restò lì, in piedi, il cuore che gli batteva. Neanche pensava.

Un minuto, forse, qualcosa di più, e l'auto nera si fermò davanti a lui. Si aprì la portiera e il ragazzo scese, calmo, lentamente. Non era in mutande e T-shirt, si era vestito. Girò intorno alla macchina e si avvicinò all'uomo. È incinta, coglione, sibilò piano, poi sferrò all'uomo un pugno sotto le costole, e l'uomo franò a terra. Si raggomitolò sul marciapiede, come un insetto, e intanto pensava alla galera e a cosa poteva fare per evitare di finire un'altra volta là dentro. Non fare niente, pensò. Il ragazzo gli tirò un calcio nella schiena, ripetendo a bassa voce Coglione. Poi prese una sigaretta e se l'accese. L'uomo, per terra, stava ascoltando il proprio cuore. Intuì che il ragazzo faceva qualche passo, come per allontanarsi. Poi lo sentì di nuovo vicino.

Dov'è andata?, chiese il ragazzo.

All'uomo parve che quella storia che la ragazza era incinta cambiasse un po' le cose.

Ha preso l'autobus, rispose.

Il ragazzo fece un cenno ambiguo con la testa. Tirava furiosamente la sua sigaretta.

Alzati da lì, disse.

L'uomo pensò che non ce l'avrebbe mai fatta, ma

il ragazzo gli ripeté di alzarsi e lo fece con una voce cattiva e impaziente. Così l'uomo puntò le braccia sul marciapiede e con immensa fatica si rimise in piedi. Sentiva un dolore, dentro al petto, che lo spezzava in due.

Sali in macchina, disse il ragazzo, sempre con quella voce.

L'uomo alzò la testa e per un attimo si chiese dov'erano finiti quei rari passanti che, se lo ricordava bene, prima camminavano frettolosi su per il viale. Salì in macchina e gli venne da pensare che non ne sarebbe uscito vivo. Ma era un'idea idiota, probabilmente.

Il ragazzo si mise al volante e l'uomo, nel sedile di fianco, si abbandonò contro lo schienale. Non successe niente, per un po'. Poi il ragazzo mise in moto e lentamente fece un'inversione di marcia, avviandosi lungo il viale. Vagarono come se non avessero una meta, e forse non l'avevano. Ma alla fine il ragazzo infilò una strada che aveva riconosciuto e fatta una cinquantina di metri si fermò davanti all'albergo. Spense il motore, tirò giù il finestrino e si accese una sigaretta. Stette un po' in silenzio.

Non sono neanche sicuro che sia mio, disse a un certo punto. Il bambino, aggiunse.

Perché?

Come perché? L'hai visto che tipo di ragazza è quella?

È carina.

È pazza.

Ma in un bel modo, disse l'uomo, poi prese a tossire, per quella cosa che gli si era rotta dentro al petto.

Il ragazzo lo lasciò tossire, poi gli chiese se aveva figli.

Più o meno, rispose l'uomo.

Non voglio un figlio che non è mio, disse il ragazzo.

Poi non si dissero più nulla fino a quando il ragazzo non disse Scendi, e lo disse come se non gli fregasse più di nulla.

L'uomo aprì la portiera e disse Mi spiace.

Sparisci, disse il ragazzo. Non aspettò neanche che l'uomo fosse davvero sceso, si allungò a chiudere la portiera e partì sgommando.

L'uomo rimase lì, davanti all'albergo. Si guardò intorno e si stupì di vedere una luce che sapeva ancora di alba perché in realtà gli era parso che fossero passate ore da quando se n'era andato con la ragazza. Non si mosse, perché il male lo spezzava, ma anche perché aveva la vaga impressione di aver dimenticato qualcosa. Gli vennero in mente gli asciugamani. Se li immaginò là per terra, alla fermata dell'autobus. Li vide bianchi e stirati, là per terra, e per un attimo pensò che era un bene che il ragazzo l'avesse picchiato senza farlo sanguinare. Non gli sarebbero piaciuti gli asciugamani bianchi sporchi di sangue. E invece adesso poteva immaginarseli puliti, e immotivati, nello sguardo curioso della gente.

Qualcuno li prenderà e se li porterà a casa, pensò.

Tre

Il ragazzino si era sdraiato sul letto senza neanche togliersi le scarpe, e da un po' si rigirava sopra le coperte, addormentandosi di tanto in tanto, ma non di un sonno vero. Seduta su una sedia, in un angolo della stanza, una donna lo osservava cercando di scacciare la fastidiosa sensazione che non la stavano facendo giusta. Non si era nemmeno tolta il giaccone perché in quell'albergo deprimente anche il riscaldamento faceva schifo. Come la moquette lercia e i puzzle inquadrati alle pareti. Solo quegli idioti dei suoi capi potevano pensare che fosse una buona idea portare lì un ragazzino di tredici anni, dopo quello che aveva passato quella sera. L'idiozia dei poliziotti. Tutto perché non erano riusciti a rintracciare nemmeno un parente da cui portarlo. Avevano trovato giusto uno zio, che però non aveva nessuna intenzione di spostarsi da dov'era, cioè un cantiere nel Nord, un buco di culo. Così adesso si trovava a fare la balia al ragazzino, in quell'albergo del cavolo, e al mattino si sarebbe deciso qualcosa. Ma il ragazzino si rigirava, sopra le coperte, e la donna non riusciva a digerire quell'abbandono, e la tristezza di tutto. Nessun ragazzino poteva meritarsi una merda del genere. Si alzò e si avvicinò al letto. Fa freddo, disse, mettiti sotto le coperte. Il ragazzino fece cenno di no con la testa. Neanche aprì gli occhi. Prima avevano parlato un po', lei era perfino riuscita a farlo ridere. Fa' conto che sia tua nonna, gli aveva detto. Non sei così vecchia, aveva detto lui. Mi mantengo bene, aveva detto la donna, che aveva cinquantasei anni e in realtà se li sentiva tutti. Poi aveva cercato di farlo dormire, e adesso era lì, convinta che fosse tutto sbagliato.

Andò in bagno a rinfrescarsi la faccia, perché ci teneva a rimanere sveglia. E lì le venne in mente un'idea idiota che però la fece sentire subito meglio. Se la rigirò un po' in testa, e capì che faceva acqua da tutte le parti, ma anche le piacque per quanto era folle e delicata. Tornò a sedersi su quella sedia senza smettere di pensare, e poiché il ragazzino continuava a rigirarsi, là sul letto, a un certo punto disse piano Vaffanculo, si alzò, prese il suo borsone e accese le luci della stanza. Il ragazzino aprì gli occhi e si voltò. Ce ne andiamo, disse la donna. Prendi la tua roba che ce ne andiamo. Il ragazzino mise i piedi giù e si guardò attorno. Dove?, chiese. In un posto migliore, disse la donna.

Uscirono dall'albergo e salirono su una vecchia Honda, parcheggiata nel retro. Non aveva le insegne della polizia e non sembrava in gran forma. Era una scassata auto di servizio che al commissariato usava solo lei. Ci era affezionata. Caricò la roba nel baule, fece salire il ragazzino e si mise al volante. Tu stenditi e cerca di dormire, disse al ragazzino. Poi uscì lentamente dal parcheggio, controllando che non ci fossero auto della polizia, nei paraggi. Si rilassò un po' solo quando imboccarono la strada che usciva dalla città. Il ragazzino non aveva fatto domande, e sembrava più incuriosito dalla radio installata sul cruscotto che dallo scopo di quell'andare nella notte. Entrati nella campagna non c'era proprio più nulla da vedere, fuori dai finestrini, dove tutto risultava divorato dal buio. Mentre la donna guidava silenziosa il ragazzino si raggomitolò sul sedile e chiuse gli occhi. Dormi, disse la donna.

Guidò per un'ora buona, cercando di concentrarsi sulla strada, perché non le era mai piaciuto guidare e aveva paura di un colpo di sonno. Traffico non ce n'era, a quell'ora di notte era già tanto se incrociavi qualche camion insonne. Ma per la donna era comunque difficile, perché non era abituata a quel genere di cose, e tutto quel buio la innervosiva. Così fu contenta quando vide il ragazzino tirarsi su, e guardarsi attorno, mentre si stirava come un ragazzino qualunque, uno a cui non era successo quello che era successo a lui. Alla donna parve che andasse tutto un po' meglio.

Buongiorno, signorino, disse.

Dove siamo?

Quasi arrivati. Vuoi un po' d'acqua?

No.

Ci dev'essere anche qualche lattina sotto il sedile.

No, va bene così.

Ti ricordi, vero, chi sono?

Sì.

Detective Pearson.

Sì.

Ti devi solo rilassare e al resto penso io. Ti fidi?

Dov'è il mio giaccone?

È tutto nel baule. Ho preso tutto.

Perché non siamo rimasti là?

Là era un albergo orribile. Non era una buona idea rimanere là.

Io voglio tornare a casa.

Malcolm... ti chiami Malcolm, vero?

Sì.

Anche tornare a casa non è una buona idea, Malcolm, credimi.

Voglio vedere casa mia.

La vedrai. Ma non stanotte.

Perché?

Non è necessario parlarne adesso.

Perché?

Possiamo parlare d'altro.

Tipo?

Di football, di macchine. O puoi farmi le domande che vuoi.

Chi sei?

Un detective, lo sai.

Un detective *donna*?

Non è vietato, sai?

Sì, ma... come ti è venuto in mente?

Oh, quello... A un certo punto ho cambiato tutto e mi è venuta quell'idea. Volevo ricominciare da capo. Stavo con un poliziotto. C'era un esame e l'ho passato.

Difficile?

Boiate.

Anche sparare?

Anche quello.

Hai mai sparato, poi?

All'inizio. Ma non ero il tipo da provarci gusto. Mi piacevano più altre cose.

Tipo?

Capire. Mi piaceva capire. E poi mi piacevano i delinquenti. I pazzi. Mi piaceva capirli. A un certo punto mi son messa a studiare. È l'unica cosa che ho *quasi* finito in vita mia. Mi usavano per quello, alla polizia.

Per quello cosa?

Quando gli serviva capire la testa dei delinquenti o dei pazzi. Ho smesso di sparare e per un bel po' mi hanno usato per altre cose, dove non c'era bisogno di pistole. Ero il tipo di poliziotto che mandano sul cornicione a parlare con quelli che si stanno buttando giù, hai presente?

Sì.

Mi chiamavano quando c'erano da leggere le lettere dei maniaci.

Figo.

Ci sapevo fare, allora.

Perché dici sempre *ci sapevo*?

Dico così?

Facevo questo, *facevo* quello... non sei più un poliziotto?

Per esserlo lo sono, ma ho smesso da tempo di combinare qualcosa di buono.

Chi l'ha detto?

Io, l'ho detto.

Perché?

Scusami un attimo... 3471, detective Pearson... Sì, il ragazzo è con me... Lo so... Lo so benissimo... Non era una buona idea... Lo so quali erano gli ordini, ma non era una buona idea, ti sembra una buona idea tenere un ragazzino tutta la notte in quello schifo di albergo dopo quello che gli è successo?, questo è quello che chiameresti una buona idea?... Lo so... Be', sai cosa te ne puoi fare del tuo protocollo?... Ma fate quello che volete, sai cosa me ne frega... È qui con me, te l'ho detto... No, non te lo dico, ma è il posto giusto per lui... Fa' tutti i rapporti che vuoi, poi lo faccio anch'io... ma che sequestro, ma che cavolo dici, lo sto solo portando... No, indietro non ci torno, chiudiamola qui... Fai quello che vuoi... Sai cosa me ne frega... Vai a fare in culo, Stoner, passo e chiudo.

Scusami, signorino.

Niente.

Scusami per le parolacce.

Niente.

Non possono farmi niente.

No?

Quattro giorni e ho finito. Restituisco il distintivo e vado in pensione. Non mi possono fare niente. Capace che tu sei il mio ultimo lavoro, lo voglio fare bene, e a modo mio.

Vanno in pensione i poliziotti?

Quando non li seccano prima.

Seccano?

Uccidono.

Ah.

Facciamo così, schiaccia quel tasto, il primo a sinistra, e spegni quella radio. Così non ci rompono più.

Questo?

Sì. Bravo.

C'è anche la sirena?

Sì, ma è rotta. C'è la luce blu, se vuoi.

La luce blu che gira sul tetto?

Sì. Dovrebbe essere sotto il sedile. Con le lattine.

Mi piacerebbe.

Dai. Tirala fuori.

Questa?

Apri il finestrino e appoggiala sul tetto.

Non vola via?

Spero di no. Dovrebbe essere magnetica. Ma è un po' che non la uso.

Fatto.

Tira su 'sto finestrino, entra un freddo cane. Okay, accendiamo. Voilà. Figo no?

È proprio la luce della polizia.

Ti piace?

Non so.

Qualcosa che non va?

C'erano tutte luci così, davanti a casa.

Se non ti va la togliamo.

Non so.

Non ti piace, signorino, togliamola.

C'era la grande luce del fuoco e poi sono arrivate tutte quelle luci lì.

Toglila, dai.

Scusa.

Di che? Sono luci orribili, hai ragione.

Dove la metto?

Buttala lì, ma tira su 'sto finestrino.

C'erano tutte quelle facce che non avevo mai visto, e su tutte girava quella luce blu. Poi c'era quell'odore.

Parliamo d'altro, dai.

No.

Quando arriviamo ne parliamo un po', se vuoi.

No, adesso.

Non sono sicura sia una buona idea.

È stato qualcuno a darle fuoco?

Non lo sappiamo.

Una casa non brucia da sola.

Può succedere. Un contatto elettrico, una stufa lasciata accesa.

Qualcuno le ha dato fuoco. Sono stati gli amici di mio padre?

Non lo so. Ma nel caso lo scopriremo.

Lo scoprirai tu?

Io vado in pensione, Malcolm. Ci penserà quello stronzo di Stoner. È stronzo ma ci sa fare.

Devi dirgli che non è bruciata da sola, la nostra casa.

D'accordo.

L'hanno bruciata loro.

D'accordo.

Il fuoco è uscito improvvisamente dappertutto. Io l'ho visto.

D'accordo.

I miei stavano litigando. Quando litigano io esco.

Sì, è un buon sistema, lo usavo anch'io.

Saltavo dai marciapiedi, in bici, davanti a casa. Poi è uscito quel fuoco. Ho lasciato la bicicletta lì e mi sono avvicinato. Ho guardato dalla finestra grande...

...

...

...

Una cosa strana è che non fuggivano.

Chi?

Mio padre e mia madre. Non facevano nulla per fuggire. Mio padre era seduto al tavolo, con la sua bottiglia di vino, e la pistola appoggiata lì vicino, come sempre. Mia madre era uscita dalla cucina e stava in piedi davanti a lui. E gridavano. Ma non...

Okay, adesso parliamo d'altro Malcolm.

No.

Malcolm...

Si gridavano *l'uno contro l'altra*. Si gridavano addosso. E intanto tutto andava a fuoco.

Okay.

Non morivano se invece di gridarsi addosso se ne scappavano via. Perché non l'hanno fatto?

Non lo so, Malcolm.

È per quello che non riuscivo a muovermi. Li guardavo. Non riuscivo a muovermi. Ha iniziato a scottare tutto, e allora ho iniziato a camminare all'indietro. Mi fermavo dove non scottava più. Ma non riuscivo a non guardare.

Prendimi una lattina, Malcolm.

Un attimo. Mi chiederanno perché non sono entrato a salvarli?

No, non te lo chiederanno.

Digli che è perché vedevo quella cosa.

D'accordo.

Mio padre no, ma mia madre l'ho vista come una fiaccola, si è accesa a un certo punto, ma neanche lì si è messa a scappare, stava lì come una fiaccola.

Allora la donna staccò una mano dal volante e la appoggiò su una delle mani del ragazzino. Strinse forte. Decelerò un po' perché guidava di rado e non era sicura, non le piaceva guidare con una mano sola. Nel buio, in quella strada nel nulla. Ma tenne la mano stretta su quella del ragazzino, stando attenta a non sbandare – voleva dirgli di smetterla, ma anche che se voleva continuare lei lo avrebbe tenuto per mano. Lui disse ancora che alla fine non c'era più nulla, della casa, e le chiese com'era possibile che di una casa non rimanesse più niente, dopo che il fuoco se l'era presa, nel buio della notte. La donna sapeva che la risposta esatta era che un sacco di cose, di quella casa, sarebbero rimaste per sempre e che lui ci avrebbe messo una vita a togliersela dalla testa ma invece rispose che sì, era possibile, se una casa era di legno poteva ridursi a un mucchio di cenere, per quanto potesse sembrare strano, se una notte il fuoco decideva di divorarsela, accendendosi il camino nel salotto della notte. Fumava tutto, disse lui. Fumerà per così tanto tempo, pensò lei. E si chiese se c'è una possibilità, una sola, di tornare a guardare lontano quando davanti abbiamo sempre, tutti, qualche rovina che fuma, e quel ragazzino più di ogni altro. Guido da schifo con una mano sola, disse. Il ragazzino le prese la mano e gliela appoggiò sul volante. Me la cavo, disse. Poi rimasero a lungo zitti. C'era quella strada che portava ad est, senza girare mai, o facendolo appena, per evitare un qualche bosco. Nella luce dei fari si svelava a poco a poco, come un segreto di non grande importanza. Di rado incrociavano una macchina, ma senza guardarla mai. Il ragazzino prese una lattina, l'aprì, la porse alla donna, poi si ricordò di quella storia del guidare con una mano sola, così gliela avvicinò alle labbra e lei allora scoppiò a ridere e disse che così no, non era capace – non era capace a fare un sacco di cose di quel tipo lì, disse. Sai guidare nella notte, disse il ragazzino. Questa volta sì, disse la donna.

Ma lo faccio solo per te, aggiunse.

Grazie.

Lo faccio volentieri. Era un sacco di tempo che non facevo una cosa volentieri.

Davvero?

Così volentieri, voglio dire.

Sei strana, non sembri un poliziotto.

Perché?

Sei grassa.

Il mondo è pieno di poliziotti grassi.

Non sei vestita da poliziotto.

No.

E questa macchina fa schifo.

Ehi, signorino, stai parlando di una Honda Civic di proprietà della polizia di Birmingham.

Dentro. È dentro che fa schifo.

Ah, quello.

Sì, quello.

Le lavano, in centrale, le macchine, ogni mattina, ma non la mia, la mia non voglio.

Ti piace così.

Già.

Ci sono popcorn dappertutto.

Adoro i popcorn. Non è facile mangiarli mentre guidi.

Capisco.

E poi adesso mi vedi così ma io ero uno schianto di donna, lo sai?

Non ho detto che sei brutta.

Infatti. Sono bellissima. E lo ero anche di più. Non per dire, ma le mie tette sono famose in tutti i commissariati delle Midlands.

Urca.

Sto scherzando.

Ah.

Ma è vero, ero una bella donna, ero una ragazza bellissima e poi sono stata una donna molto attraente. Adesso è un'altra cosa.

Cioè?

Non mi importa più.

Non ci credo.

Lo so, non ci credi se non ti succede. Come un sacco di altre cose.

Hai un marito?

No.

Dei figli?

Ne avrei uno, ma non lo vedo da anni. Non ero buona a fare la madre. È andata così.

Eri buona a fare il poliziotto.

Sì, per un certo periodo, lo ero.

Poi sei diventata grassa.

Mettiamola così.

Ho capito.

Non ne sarei così sicura, ma va bene così.

No, davvero, ho capito.

Cosa hai capito?

Sei come i miei genitori, quando è venuto il fuoco non sono scappati. Perché vi succede così?

Ehi, ehi, di cosa stai parlando?

Non so.

Col cavolo che io ci restavo a farmi abbrustolire in quella casa, credimi.

...

Scusa, non volevo dire quello.

Niente.

Volevo dire che io sono sempre scappata quando la casa andava a fuoco, giuro, sono scappata un sacco di volte, non ho fatto altro che scappare. Non è quello.

E allora cos'è?

Ehi, ehi, quante domande.

Era solo per sapere.

Allora trovami dei popcorn, ce ne dovrebbero essere sul sedile dietro.

Qui?

Da quelle parti. Un pacco famiglia già aperto.

Non c'è niente.

Guarda per terra, sarà caduto.

Qui sotto?

E quello che cavolo è?

Ma non stava parlando dei popcorn. Stava vedendo nello specchietto retrovisore qualcosa che non le piaceva. Cavolo, disse un'altra volta. Strinse un po' gli occhi, per vedere bene. C'era un'auto, in lontananza, dietro di loro, e dalla luce blu, sul tetto, aveva tutta l'aria di essere un'auto della polizia. Quello stronzo di Stoner, pensò la donna. Poi istintivamente premette sull'acceleratore e si curvò un poco sul volante, mormorando qualcosa. Il ragazzino si voltò e vide la macchina con la luce blu, lontana nel buio. Non aveva sirena, solo quella luce blu. Diede un'occhiata alla donna e la vide concentrata sulla guida, le mani strette sul volante. Leggeva la strada con gli occhi un po' socchiusi, gettando un'occhiata di tanto in tanto allo specchietto retrovisore. Il ragazzino si voltò di nuovo e gli parve che la macchina, laggiù, fosse più vicina. Non girarti, gli disse la donna, porta sfiga. Aggiunse che quando sei inseguito non devi badare a chi ti insegue, ti devi concentrare sulle tue scelte, mantenere la lucidità e sapere che se darai il massimo nessuno riuscirà a beccarti. Parlava per rilassarsi e perché lentamente aveva preso a rallentare, stanca. Se invece sei tu che insegui, quello che devi fare è ripetere tutto quello che fa lui, senza starci a pensare, pensare fa perdere tempo, devi solamente ripetere quello che sta facendo lui e quando sei a tiro staccarti dal suo cervello e fare la tua scelta. Nove volte su dieci, funziona, disse. Se non hai sotto il culo un catorcio come questo, è ovvio. Guardò nello specchietto retrovisore e vide la macchina della polizia rotolare impassibile verso di loro, come una biglia verso la buca. Chissà come mi ha trovato, quello stronzo, disse. Te l'ho detto che ci sa fare, disse. Nascondi le lattine, disse. Quali lattine? La birra, disse lei. Il ragazzino si guardò intorno ma di lattine proprio non ce n'erano. Forse stavano rotolando sotto i sedili, in mezzo ai popcorn e a tutta quella roba incredibile tipo la scatola di un phon, un manifesto arrotolato, due stivali da pesca. Niente birra, disse. Bene, disse la donna, e poi disse che era meglio se lui si allungava sul sedile e faceva finta di dormire. Le era venuto in mente che questo avrebbe impedito a Stoner di gridare. Sarebbe stato meglio se avessero evitato di gridare. Parlandoci con calma magari l'avrebbe convinto. Alzò gli occhi allo specchietto retrovisore e vide che la luce blu lampeggiava ormai a una cinquantina di metri da loro. Non mi riesce più di combinarne una giusta, pensò. E la prese quell'angoscia che la soffocava di notte, nelle ore insonni, quando ogni tessera della sua vita le passava nella mente, e non ce n'era una in cui non fosse scritta una fine strisciante, invincibile. Alzò un poco il piede dall'acceleratore e la macchina là dietro si fece sotto. Il ragazzino aveva chiuso gli occhi, i lampi blu sotto le palpebre, sempre più vicini. L'auto della polizia mise la freccia e lentamente fece per affiancarsi. La donna si disse che doveva restare calma, e pensò alle prime parole che avrebbe detto. Fammi fare il mio mestiere, avrebbe detto. L'auto la affiancò, lei si girò. Intravide un volto che non conosceva, un poliziotto giovane. Aveva l'aria di essere abbastanza carino. La fissò per un attimo e poi sollevò il pollice per chiederle se andava tutto bene. Lei sorrise e fece lo stesso gesto. L'auto accelerò e quando fu una ventina di metri avanti rientrò nella carreggiata. Prese ad allontanarsi lentamente. La donna sapeva esattamente cosa stava accadendo in quella macchina. Uno dei due stava dicendo qualcosa sulla stranezza di certe donne che se ne vanno in giro a guidare nella notte. L'altro non avrebbe detto nulla e questo significava che non si sarebbe fermato, non c'era ragione di farlo. Se vuole guidare nella notte, lo faccia, avrebbe forse detto. Li vide allontanarsi e continuò a guidare nel modo più disciplinato possibile, per farsi dimenticare. Pensò di avercela fatta quando li vide sparire dietro a una delle rare curve, e allora strinse le mani al volante, perché sapeva come funzionava e non si sarebbe stupita di trovarseli fermi, al lato della strada, ad aspettarla dopo la curva. Gettò un'occhiata al ragazzino. Stava con gli occhi chiusi, immobile, la testa appoggiata da una parte sul sedile. Non gli disse nulla e entrò nella curva. E dai, disse piano. Vide la strada allungarsi nel buio e la luce blu lampeggiare lontana. Decelerò un po' e continuò a guidare fino a quando vide una piazzuola aprirsi al lato della strada. Frenò e portò la macchina nella piazzuola fermandosi con il motore acceso. Lasciò andare le dita, dal volante. 'Fanculo, pensò. Ma senti che batticuore del cazzo, pensò, ormai qualunque cosa mi spaventa. Appoggiò la fronte sul volante e iniziò a piangere, in silenzio. Il ragazzino aprì gli occhi e la guardò, senza muoversi. Non era sicuro di com'era andata a finire. Guardò verso la strada ma non c'erano luci blu, intorno, solo il buio di prima e nient'altro. Eppure quella donna piangeva, e anzi adesso proprio singhiozzava, battendo ritmicamente la fronte sul volante, ma piano, senza farsi del male. Non smise per un bel po' e il ragazzino non osò fare nulla, finché lei alzò la testa di scatto, si asciugò gli occhi con la manica del giaccone, si voltò verso di lui e con una voce piuttosto allegra disse Ci voleva proprio. Il ragazzino sorrise.

Una cosa che devi imparare, Malcolm è che... ti chiami Malcolm, vero?

Sì.

Bene, una cosa che devi sapere, Malcolm, è che quando uno ha bisogno di piangere lo deve fare, inutile stare lì a farsi tanti problemi.

Sì.

Dopo va tutto meglio.

Sì.

Hai un fazzoletto?

No.

Ce l'avevo io, da qualche parte... Tutto bene?

Sì.

Possiamo ripartire, che dici?

Per me va bene.

Anche per me. Allora via.

Sappiamo dove stiamo andando?

Certo.

Dove?

Sempre dritto, fino al mare.

Stiamo andando *al mare*?

C'è un mio amico, lì. Ti troverai bene.

Io non voglio andare dal tuo amico, io voglio restare con te.

Lui è molto meglio. Stai vicino a lui e non ti può succedere niente.

Perché?

Non lo so perché. Ma è così.

È vecchio?

Come me. Due anni di più. Ma non è vecchio, non è uno che diventerà mai vecchio. Sarà come stare con un altro bambino, vedrai.

Non voglio stare con un altro bambino. Non ci sto mai con gli altri bambini.

Va be', ti dico che andrà bene, ti fidi?

Chi è?

Un mio amico, te l'ho detto.

Amico in che senso?

Oh mamma, cosa vuoi sapere?

Perché lui?

Perché conosco solo posti squallidi, e invece da lui è bello, e tu hai bisogno di stare in un posto bello.

Bello perché c'è il mare?

No, bello perché c'è lui.

Cosa vuol dire?

Oh, Gesù, non farmi spiegare tutto, non sono capace di spiegarti.

Provaci.

Ma dimmi te.

Dai.

Che ne so, è l'unico posto che mi è venuto in mente, te ne stavi lì su quel letto orrendo in quella stanza agghiacciante e l'unica cosa che mi è venuta in mente è che non si poteva lasciarti lì, così mi sono chiesta se c'era un posto dove portarti che fosse il posto più bello del mondo, e la verità è che non conosco posti più belli del mondo, non ne ho da parte nemmeno uno, a parte uno, o forse due contando i giardini di Barrington Court, non so se li hai mai visti, ma a parte quelli, che son troppo lontani, io conosco un solo posto più bello al mondo perché ci sono stata e so che è appunto il più bel posto al mondo, così ho pensato che avrei potuto portarti lì se solo fossi stata capace di guidare per ore nella notte, che è una cosa che odio fare e mi mette l'angoscia solo a pensarci, ma guardandoti bene mentre cercavi di addormentarti ho deciso che ne sarei stata capace ed è per questo che ti ho tirato su e ti ho messo in macchina, decidendo che ce l'avrei fatta a portarti fin da lui, perché le cose intorno a lui e il modo che ha di toccarle e di parlarne sono il posto più bello al mondo, l'unico che ho. Devo ripetere mettendo meglio in fila le frasi?

No, ho capito.

Bene.

Se è tanto bello perché non vivi lì?

Ecco, adesso ripartiamo con l'interrogatorio. Tu faresti strada nella polizia, lo sai?

Dimmi ancora soltanto questo. Perché non vivi lì, se lui è... se lì è così bello?

È una storia da grandi, lascia perdere.

Dimmi soltanto l'inizio.

L'inizio?, quale inizio?

Come inizia la storia.

Ma guarda che sei un bel tipo.

Per favore.

Ma niente, è la solita storia, è l'uomo della mia vita e io sono la donna della sua vita, tutto lì, solo che non siamo mai riusciti a vivere insieme, contento?

Grazie.

Non è neanche detto che se ami davvero qualcuno, ma tanto, la cosa migliore che puoi farci insieme sia *vivere*.

No?

Non è detto.

Ah.

Ti avevo avvertito che era una cosa da grandi.

Sì, mi avevi avvertito.

Ti piacerà. Lui. Ti piacerà.

Forse.

Vedrai.

Cosa fa?

Barche. Piccole barche di legno. Le fa una ad una, sta tutto il tempo a pensare alle sue barche. Sono belle.

Le fa proprio lui?

Da cima a fondo, tutte lui.

E poi?

Le vende. Ogni tanto le regala. È pazzo.

A te ne ha regalata una?

A me? No. Ma una volta ne ha fatta una con il mio nome. L'aveva scritto in undici posti nascosti, e nessuno lo saprà mai, tranne me.

E me.

E te, adesso.

Bello.

Me l'aveva promesso, e poi l'ha fatto.

Bello.

Sì. Oddio, ogni tanto penso a chissà che coglione ce l'avrà, adesso, quella barca, e non sono più tanto sicura che sia una storia poi così bella.

Non sai dov'è, la tua barca.

No.

Chiediglielo.

A lui?

Sì.

Figurati. Non voglio sapere niente, di lui e delle sue barche, meno ne so, meglio sto.

Glielo chiederò io, allora.

Non provarci nemmeno.

Gliel'hai detto cosa mi è successo?

A lui? No.

Non sa nulla?

Se è per quello non sa nemmeno che stiamo arrivando da lui.

Non gliel'hai detto.

No. Non mi andava di telefonargli. È un sacco di tempo che non gli telefono.

Ma scusa...

Anzi a dirla tutta è un sacco di tempo che non lo vedo proprio.

Quanto tempo?

Non so. Due, tre anni. Non vado forte con le date.

Due o tre anni?

Qualcosa del genere.

E non l'hai nemmeno avvertito che stavi per andare lì?

Non lo faccio mai. Arrivo lì e suono, tutte le volte che mi è successo sono arrivata lì e ho suonato. Anche lui, una volta, è venuto da me e ha suonato. Non ci va di telefonare.

Magari non c'è nemmeno.

Possibile.

E noi che facciamo se non c'è?

Guarda che meraviglia.

Cosa?

La luce, laggiù. Si chiama alba, quella.

Alba.

Proprio così. Ce l'abbiamo fatta, signorino.

E in effetti dall'orizzonte si era alzata una luce cristallina a riaccendere le cose e a rimettere in movimento il tempo. Forse era il riflesso sul mare, lontano, ma c'era qualcosa di metallico nell'aria che non tutte le albe hanno, e la donna pensò che questo l'avrebbe aiutata a rimanere lucida, e calma. Non era il caso di dirlo al ragazzino ma in effetti le metteva ansia tornare laggiù, dopo tutto quel tempo. Inoltre sapeva di non avere un altro piano, nel caso quello fosse fallito, cosa che poteva anche succedere. Magari lui non era là. Magari era con una donna, o con chissà chi. C'erano un sacco di modi in cui tutta quella faccenda poteva andare storta. Tuttavia lei si era immaginata il modo in cui poteva invece andare benissimo, e sapeva che in quel caso non avrebbe potuto inventarsi niente di meglio per quel ragazzino, su questo non aveva dubbi. Si trattava solo di rimanere ottimisti. Quella luce la aiutava. Così si mise a ridere, col ragazzino, raccontandogli di certe sue storie, di quando era piccola. Trovarono perfino, a un certo punto, i popcorn. Guidare adesso era più facile, e neanche il fatto di essere da ore al volante le pesava più. Arrivarono al cartello di ingresso nella città che quasi non se ne accorsero. La donna fermò la macchina e scese a sgranchirsi un po' le gambe. Anche il ragazzino scese. Disse che la città aveva un bel nome. Poi disse che doveva fare pipì e si allontanò nei prati. La donna lo vide piccolino, in mezzo a quell'orizzonte di erba e case lontane, e sentì una fitta che non capì, tanto era difficile separare il sapore del rimpianto dalla sensazione bella di aver combinato qualcosa di buono. Forse non sei poi quel fallimento che credi, si disse. E per un attimo le tornò su quella argentea sfrontatezza che aveva da giovane, quando sapeva di non essere né peggio né meglio di tanti altri, ma solamente diversa, in un modo prezioso e inevitabile. Era quando tutto le faceva paura, ma ancora non aveva paura di niente. Ora che tanto tempo era passato, una specie di stanchezza inquieta si era presa un po' tutto, e la nettezza di quel sentire era divenuta così rara. La ritrovò lì, sul ciglio della strada, davanti a un cartello che pronunciava un nome, quel nome, e tanto desiderò che non se ne andasse via subito. Desiderò fortissimamente che la accompagnasse fin da quell'uomo, perché allora l'uomo gliel'avrebbe letta negli occhi e un'altra volta ancora avrebbe pensato quanto lei era unica, e bella, e irripetibile. Si voltò perché il ragazzino le stava gridando qualcosa. Non capì bene, ma lui indicò l'orizzonte e allora lei guardò bene e quel che vide era un camion, ritagliato in quella luce di alba metallica, che trasportava una barca, in mezzo ai prati, una barca bianca e grande che adesso sembrava filare una rotta assurda in mezzo al granturco, le vele ammainate e il timone verso le colline. Andiamo, gridò al ragazzino. Guardò l'ora e pensò che forse era un po' presto per capitare là, di sorpresa, ma quando il ragazzino arrivò salì in macchina e rimise in moto perché aveva con sé una qualche forza che non sapeva quanto sarebbe durata. Non importava se lo avrebbero svegliato, pensò, non era il tipo da prendersela. Non importava nemmeno se l'avesse trovato con una donna, in quel momento le parve che non le sarebbe importato un granché. Era così, tanto tempo prima, da ragazza.

Attraversarono il centro della cittadina e poi presero una strada sterrata che portava al mare. Entrarono in una piccola spianata in mezzo alle basse casette colorate, e scivolarono lentamente in mezzo a scheletri di barche e motori. Si fermarono davanti a una casa di un piano, colorata di rosso e bianco. La donna spense il motore. Andiamo, disse. Ma non si mosse. Il ragazzino la guardava senza sapere bene cosa fare. Lei gli scompigliò con una carezza i capelli neri e gli disse che sarebbe andato tutto bene. Lo stava dicendo a se stessa, e il ragazzino lo capì. Sì, disse.

Alla porta c'era una piccola campana di bronzo, di quelle che di solito sono sulle barche, e la donna tirò la catenella e la fece suonare, un po' di volte. Aveva un bel suono, cristallino. Per un po' non successe niente, poi la porta si aprì.

L'uomo era in maglietta e boxer, i piedi nudi. Certi capelli disordinati e grigi sulla testa.

Ciao Jonathan, disse la donna.

Tu, disse semplicemente l'uomo, come se rispondesse a una domanda. Poi si voltò a guardare il ragazzino. Lo fece socchiudendo un po' gli occhi perché ancora non si era abituato alla luce del mattino.

Questo è Malcolm, disse la donna.

L'uomo rimase un attimo a studiarlo. Poi tornò a guardare la donna.

È mio?, chiese.

La donna non capì subito bene.

È per caso un figlio mio?, disse l'uomo, tranquillo.

La donna scoppiò a ridere.

Ma che cazzo dici, è un ragazzino e basta, ti pare che ti avrei nascosto per tredici anni un figlio tuo?

Capacissima, disse l'uomo, ma sempre tranquillo. Poi fece un passo verso il ragazzino e gli tese la mano. Ciao Mark, disse. Sei piuttosto piccolo per andare in giro con donne così belle, disse. Stacci attento, aggiunse.

Malcolm, non Mark, disse la donna.

Poi entrarono in casa e l'uomo si mise a prepara-re una colazione. C'era un'unica stanza grande, piena di oggetti, che faceva da cucina e da salotto. Da qual-che altra parte ci sarà stata una camera da letto. La donna sapeva dove erano le cose, e si mise a prepara-re la tavola. Quel che si era immaginata era esatta-mente quello, far fare a quel ragazzino una colazione su una tavola preparata bene. Intanto raccontò un po' della storia, ma non tutta. L'uomo stava ad ascoltare senza interrompere e ogni tanto dava al ragazzino qual-cosa da fare, come se non stessero parlando di lui. Do-vresti tenerlo qualche giorno qui, disse alla fine la don-na, solo il tempo di far arrivare suo zio dal Nord. Qual-che giorno, ripeté. Certo, disse l'uomo. C'era un de-lizioso profumo di French toast.

Solo quando ebbero mangiato e rimesso tutto a po-sto la donna disse che doveva proprio andare. Passò in macchina a prendere la roba del ragazzino, il giac-cone e le altre cose, e tornò a posare tutto sul sofà, in casa. Al ragazzino strinse semplicemente la mano, per-ché era un detective, e fece qualche raccomandazio-ne che lo fece sorridere. Poi gli indicò l'uomo con un piccolo cenno della testa.

Vedi se puoi gettargli un occhio, di tanto in tanto, disse a bassa voce. Quello può combinare disastri che nemmeno ti immagini.

Con l'uomo si salutarono senza dirsi niente, un ba-cio sulle labbra. Appena un po' lungo – e chiudendo gli occhi, lui.

Salì sulla macchina, spazzolando via con la mano, prima, i popcorn che c'erano sul sedile. Chiuse la cintura di sicurezza ma poi restò lì, senza avviare il motore. Guardava quella casa, davanti a sé, e pensava alla misteriosa permanenza delle cose nella corrente mai ferma della vita. Stava pensando che ogni volta, vivendo con loro, si finisce per lasciare su di loro come una mano leggera di vernice, la tinta di certe emozioni destinate a scolorare, sotto il sole, in ricordi. Stava anche pensando che avrebbe dovuto fare benzina e che rifarsi tutta quella strada, da sola, sarebbe stata una palla colossale. Almeno non è buio, si disse. Poi vide aprirsi la porta della casa e l'uomo uscire, sempre in maglietta e a piedi nudi, venendo a passi lenti verso di lei. Si fermò di fianco alla portiera. La donna girò la chiavetta nel quadro e tirò giù il finestrino, ma non completamente. Lui ci appoggiò una mano sopra.

C'è il vento giusto, disse. Magari si potrebbe uscire nella baia.

La donna non disse niente. Se ne stava con gli occhi fissi sulla casa.

Te ne parti stasera, cosa sarà mai, disse l'uomo.

Allora la donna si voltò verso di lui e vide lo stesso viso di tante altre volte, i denti storti, gli occhi chiari, le labbra da ragazzino, quei capelli sparati in testa. Ci mise un po' a dire qualcosa. Stava pensando alla misteriosa permanenza dell'amore, nella corrente mai ferma della vita.

Indice